L'APPARTEMENT TÉMOIN

Née en 1961, Tatiana de Rosnay est franco-anglaise. Elle est l'auteur de douze romans, dont *Le Voisin, Boomerang, Rose, À l'encre russe* et *Elle s'appelait Sarah*, best-seller international vendu à plus de 9 millions d'exemplaires dans le monde et adapté au cinéma en 2010. On lui doit aussi deux recueils de nouvelles, et récemment, *Manderley for ever*, biographie remarquée de Daphné Du Maurier. Tatiana de Rosnay a été désignée comme l'une des 50 personnalités françaises les plus influentes à l'international par le magazine *Vanity Fair*. Elle vit à Paris avec sa famille.

TATIANA DE ROSNAY

L'Appartement témoin

ROMAN

FAYARD

ISBN : 978-2-253-09891-1 – 1re publication LGF

Pour Nicolas
Pour Louis
… et bien sûr pour Joël.

La musique, c'est du bruit qui pense.

Victor HUGO

1

J'ai tout de suite aimé cet appartement. D'abord parce qu'il se trouvait Rive gauche, et que je n'y avais jamais habité. Ma jeunesse s'était déroulée à Passy ; l'épisode marié-père de famille : boulevard des Batignolles ; et vieux divorcé : rue Quentin-Bauchart.

La Rive gauche m'attirait comme un aimant, peut-être parce que quelques-unes de mes maîtresses y avaient vécu, et que j'ai souvent traversé la Seine au petit matin pour regagner le dix-septième poussiéreux, le banal huitième, le sourire aux lèvres et une odeur de femme sur les doigts, savourant le goût de ces nuits d'amour illicites à Saint-Germain-des-Prés, à Montparnasse, ou à Denfert-Rochereau.

L'appartement se trouvait rue de l'Université, entre la rue Malar et la rue Jean-Nicot. On y avait détruit un vieil immeuble pour en construire un flambant neuf en un clin d'œil. La nouvelle construction se voulait « prestigieuse et luxueuse » ; ainsi la vantait le panneau publicitaire qui avait attiré mon regard. L'architecte avait voulu donner, je suppose, un aspect avant-gardiste à cet édifice rutilant qui contrastait quelque peu avec ses discrets voisins de pierre de taille.

L'appartement me plut aussi par ses proportions et sa forme. Avec sa vaste pièce presque entièrement vitrée d'une centaine de mètres carrés, sa chambre en mezzanine, une grande cuisine et une belle salle de bains, il représentait, en quelque sorte, le parfait appartement du *golden-boy* ambitieux, de la femme d'affaires affairée, ou du célibataire endurci. Pas pratique pour les enfants en bas âge, les marches de l'escalier feraient frémir n'importe quel parent de bambin kamikaze, il semblait fait sur mesure pour ceux qui vivent seuls, par choix, par nécessité ou destinée, et qui ne comptent qu'une brosse à dents au-dessus du lavabo.

— Et moi ? Je dors où, moi ? fit Camille indignée.
— Tu auras un superbe canapé-lit dans le salon.
— Bof, dit-elle.
— C'est ça ou tu passes les week-ends chez ta mère.

Je dis à la femme chargée de la vente qu'il me fallait l'appartement témoin.

Elle prit un air constipé pour m'assurer que cela n'était pas possible.

J'insistai.

Elle minaudait.

12

— Les autres appartements sont pareils, monsieur, d'ailleurs certains sont plus grands et plus beaux que celui-ci.

— Cela n'a aucune importance, madame. C'est cet appartement que je veux.

Air buté de la dame.

— Je crains que cela ne soit pas possible, monsieur. Vous devriez quand même aller regarder les appartements en construction. Vous trouvez celui-ci à votre goût parce qu'il est meublé, c'est le seul qui soit fini et non dans un état brut. Vous l'aimez uniquement parce qu'il est décoré.

— Si vous croyez que je succombe devant ces papiers peints, cette moquette et ces meubles immondes, détrompez-vous. Tout cela, hop, viré, vite fait, bien fait.

Effondrement de la mâchoire de la dame.

— C'est l'exposition qui me plaît. La lumière, l'atmosphère. La vue. L'ambiance. C'est très important pour moi, madame, de me sentir bien là où je vis.

Insistance lourde. Vrilles de mes yeux dans ses pauvres iris bêtes et bleutés.

— Je paierai ce qu'il faudra pour avoir l'appartement témoin, madame. Voulez-vous une avance ? Des arrhes ? Un acompte ?…

Froissement subtil de quelques billets dans ma poche.

— Du liquide ? Tout de suite ?

— Je vais voir ce que je peux faire, monsieur…

Ah, le pouvoir de l'argent !

Retour d'une certaine coquetterie dans sa voix, sa pose, son regard. Peine perdue, car elle se teint les cheveux et je hais autant les fausses blondes et les simili-rousses que les pseudo-brunes.

D'ailleurs je suis chaste, si chaste depuis le divorce.

Une vraie brune, celle-là, en revanche.

Une vraie brune et le teint qui va avec ; peau d'olive mate, et yeux noirs.

Un long corps souple, des chevilles fines, un sourire où éclatent des dents très blanches.

Camille.

Ma fille.

Dix-huit ans.

Elle parcourt l'appartement comme un grand chat, sans bruit.

Elle me dit enfin :

— Ce n'est pas tout à fait ton genre, cet appartement.

— Comment cela, pas mon genre ?

— Je veux dire que c'est trop jeune pour toi.

Cette sorte de phrase qui va droit au cœur...

— Papa, ne te vexe pas inutilement ! Honnêtement, j'ai du mal à t'imaginer ici. C'est trop grand, trop blanc, trop mode. Et puis cette, ce...

— J'imagine que tu parles de la mezzanine ?

— Oui. C'est le style d'appartement qu'on voit dans les pubs. Hyperbranché, quoi ! Ce n'est pas pour un mec de ton âge.

Un mec de mon âge.

J'ai toujours apprécié le franc-parler de ma fille, mais aujourd'hui il m'insupporte.

— Tu veux dire qu'un « mec de mon âge » ça vivote dans un deux-pièces sombre encombré de bibelots et d'un vieux chien à moitié aveugle, et pas dans un endroit « branché » ? Je ne suis pas assez dans le coup, c'est ça, pour habiter un endroit pareil ?

— Tu devrais aller vivre à la campagne, pas trop loin de Paris, pour que je puisse quand même venir te voir tous les week-ends.

— C'est très gentil de ta part, je t'en remercie.

— Un grand jardin, des fleurs et de l'oxygène, c'est cela qu'il te faut, crois-moi. C'est comme ça qu'on se remet d'un divorce.

— Qu'est-ce que tu en sais, toi, du divorce ?

— Pour ma part, je trouve que j'assume merveilleusement bien. Mieux que toi. J'ai des copains qui ne se sont jamais remis du divorce de leurs parents. Justine, tiens, elle a fait une déprime ; en deux mois, elle avait pris dix kilos. Et Virginie ! Une loque. Tu as de la chance, tu sais, que j'ai pu si bien tenir le coup.

Perchée dans la mezzanine, elle me regarde.

— Alors, tu n'aimes pas ? je lui lance du salon. Tu penses que je vais droit à la déprime ou au ridicule ?

Moue.

— On verra bien. Peut-être que tu as une maîtresse de mon âge et que tu as envie de l'épater avec ta nouvelle garçonnière. Dans ce cas tu vas taper très fort.

— Peut-être bien.

Si elle savait.

J'ai toujours voulu avoir une fille. Quel intérêt, un garçon ? C'est bruyant, sale, brutal, les genoux toujours écorchés, la morve au nez, les doigts pleins d'encre. À dix ans, ça ne fait que des bêtises ; à quinze, ça râle pour de l'argent, une mobylette, un blouson en cuir comme celui du copain et, à vingt ans, il veut se mesurer au père et lui piquer ses maîtresses comme ses chemises ou ses cravates. Non, merci !

Mon ex-femme voulait, comme la plupart des gens écrasés par le poids d'une ancestrale et débile tradition, que son premier-né fût un mâle. Mes spermatozoïdes à prédominance XX eurent raison de cet entêtement idiot, et je vis Camille naître comme la foudre tombe du ciel, ou l'eau jaillit d'une source ; un petit paquet rose et brun qui – ô joie – n'avait pas de couilles.

Elle n'a jamais ressemblé à sa mère. Loin d'elle cette fade blondeur, cette soumission bourgeoise, cette intransigeance aveugle.

Mon ex-femme daigna visiter l'appartement en y déposant sa fille un vendredi soir. À mon grand étonnement, elle le trouva très bien.

— Vous avez fait là une très bonne affaire, dit-elle posément, ce qui signifiait qu'elle se doutait bien que je m'étais endetté pour le reste de ma vie.

Depuis le divorce, elle persistait à me vouvoyer.

J'aurais aimé lui rendre la pareille, mais je n'y parvenais pas. Comment peut-on subitement vouvoyer une femme avec qui l'on a vécu pendant presque vingt ans, qu'on a vue accoucher, et qu'on a fait souffrir ?

— Moi, je dors dans un canapé-lit, annonça Camille.

— C'est divin, fit mon ex-épouse. C'est merveilleux. Puis elle se tourna vers moi : Vous avez l'air un peu fatigué, je trouve.

— C'est le déménagement, dis-je, vexé.

J'ai commencé à tromper ma femme par ennui.

Ce n'était pas de sa faute, elle avait été assez jolie et ne s'était pas trop refusée à moi. Pas assez, en tous les cas, pour que j'en prenne ombrage. Nous donnions l'impression d'être un couple heureux. Mais les rigidités du système conjugal me parurent vite trop étroites pour suffire à mon épanouissement personnel. En fait, je n'avais jamais souhaité me marier et, longtemps, je ne pensai pas devoir le faire. Je ne l'ai jamais aimée ; du moins, comme elle aurait voulu que je l'aime ; je crois que c'est pour cette raison qu'elle m'a quitté.

Je l'ai épousée car j'avais trente-six ans et peur de finir seul. Elle fit irruption dans ma vie, complexée d'avoir dépassé la trentaine sans s'être casée. Malgré un physique particulier, elle était un beau parti. Son nom illustre, une dot alléchante, et son envie empressée de porter mon humble patronyme qui n'avait ni blason ni particule, ont fait que j'ai accepté de me marier avec elle.

Le sang de Camille est donc à moitié bleu ; mais ma fille possède la noblesse du cœur et de l'esprit, bien plus enviable, bien plus belle, que celle du nom.

Ma première aventure fut avec la fille aînée d'un ami, une petite délurée de vingt ans qui n'avait pas froid aux yeux et qui aimait les « vieux ». A l'époque, j'avais trente-huit ans, ce qui pour elle était l'équivalent d'une momie en voie de décrépitude. Camille soufflait alors sa deuxième bougie.

Elle s'appelait Cordelia. Je me souviens qu'elle aimait faire l'amour sur le bureau de son père ; un vaste pupitre à plan incliné sur lequel s'amoncelait un fouillis de papiers, stylos, téléphones et classeurs. Cet exercice me permettait d'exécuter des virtuosités acrobatiques dont je me rappelle avoir été assez fier et qui, en fait, se limitaient simplement à la souplesse naturelle dont nous jouissons tous avant d'atteindre l'âge fatidique de la quarantaine.

Aujourd'hui, j'ai cinquante-cinq ans, et je suis seul. Le passé me fait parfois sourire, mais le présent et le futur engendrent en moi une profonde tristesse, une morne apathie. Des femmes ont compté : comètes dorées et brillantes, elles ont laissé sur moi des traces de leur sillage pailleté, comme ces papillons de nuit – Saturnia Pyri – qu'on attrape entre deux doigts et qui marquent l'index et le pouce d'une fine couche irisée provenant de leurs ailes palpitantes. Tant d'autres, sans nom et sans visage, sont reléguées à ce catalogue, oublié et effacé par le temps, des conquêtes anonymes. Pourtant, de temps en temps, d'anciennes maîtresses m'appellent pour savoir comment je vais ; et certaines, par pure lubie ou fausse myopie, m'ignorent quand il m'arrive de les croiser dans la rue, comme si, subitement gênées qu'un jour, un soir, il nous soit arrivé de faire l'amour, elles avaient honte de nos relations passées.

Je ne pense pas être un très bon amant. Le sexe ne m'a jamais rebuté, mais je ne suis pas doué pour la chose, je n'ai pas été touché par cette grâce qui, au lit, fait que certains hommes sont supérieurs à d'autres. Bien sûr, on ne me l'a pas dit aussi crûment et tel quel, mais je m'en doute bien.

Il existe une certaine race d'éternelles insatisfaites dont le but principal est de sournoisement faire douter un homme de ses capacités les plus intimes, par méchanceté, ou par vengeance. Je connais une autre tribu féminine, plus répandue, qui par le biais d'une comédie finement jouée fait croire au pauvre mâle vaniteux qu'il est le plus extraordinaire des amants : un surhomme, mieux un dieu vivant ! Elle est simplement bonne actrice, sa voix porte, tandis que les voisins tapent sur la cloison avec l'espoir de s'endormir avant l'aube… Comment se situer dans ce fourbe marécage, cette vaseuse supercherie ? Loin de me flatter ou de me morfondre inutilement, je préfère me dire que ma technique amoureuse vaut bien celle de la plupart de mes compatriotes ; et que si le septième ciel se fait attendre, c'est que celle qui m'y enverra n'a pas encore croisé mon chemin.

Il faut bien que j'avoue que je n'ai pas été un bon époux non plus. Mais là, il s'agit plutôt d'une paresse qui a traîné comme une mauvaise grippe mal soignée et qui témoigne chez moi d'un caractéristique manque de volonté. Il m'est donc indispensable de réussir au moins une chose : ma fonction de père. C'est tout ce qui compte dans ce qui me reste de vie, alors je m'y applique. D'ailleurs, cela ne m'est pas difficile. Mon ex-femme prétend qu'un homme est incapable de ressentir la puissance de l'instinct maternel. Une fois de plus elle a tort, car Camille est la fibre même de mon existence ; elle est logée viscéralement en moi comme si je l'avais, moi aussi, portée dans mon ventre pendant neuf mois. Je n'ai pas accouché de Camille, mais j'ai eu le privilège immense de la voir avant même que sa mère pose les yeux sur elle ; c'est moi qui l'ai touchée, qui, avec une infinie douceur, lui ai donné un premier baiser sur son petit front fripé. J'ai été le gardien de ses nuits, celui qui faisait miraculeusement disparaître le Monstre Sous Le Lit, Le Fantôme du Couloir, la Sorcière du Placard.

Pour Camille, je m'évertuais à être le père dont rêvaient toutes les petites filles, celui qui est le plus beau, le plus grand, le plus intelligent et le plus fort.

Carte de Camille pour mes cinquante-cinq ans :

« Je ne sais plus si tu as cinquante-sept ou cinquante-quatre ans aujourd'hui, et cela n'a aucune importance. Finalement, tu as eu raison de quitter la rue Quentin-Bauchart, c'était triste et noir, et rempli de souvenirs amers. Une nouvelle vie commence pour toi, papa. Tu verras, tu seras heureux, je le sais.

Joyeux anniversaire.

Camille. »

Je parlerai peu de ma carrière professionnelle ; en fait, je n'ai pas réussi. Je n'ai jamais percé, par paresse, timidité, et manque d'ambition. Si je considère mon parcours, mon évolution, pour le peu que j'ai fait, je ne me suis pas trop mal débrouillé. J'ai gagné assez d'argent pour vivre confortablement, sans me priver.

Cet appartement est la seule folie que je me sois permise.

Je n'ai pas connu de passions dévastatrices, de coups de tête pour lesquels j'aurais pu dépenser des fortunes. Ni femme, ni voyage, ni voiture, ni jeu, ni objet d'art, n'a su m'envoûter assez pour que je perde pied, que je me laisse tenter, que je veuille me ruiner. Mon ex-épouse dispose de tout ce dont elle a besoin grâce au généreux héritage laissé par son père, et Camille ne m'a jamais demandé d'argent.

Et voilà que je me suis endetté jusqu'à la fin de mes jours pour cet appartement…

C'est triste d'avoir cinquante-cinq ans et de se dire qu'on n'a plus rien à attendre de la vie. Peut-être la vie n'a-t-elle plus rien à me donner ? Suis-je resté trop passif, n'ai-je pas su faire les bons choix ? Je n'ai pas vu le temps passer. Il est arrivé sur moi par surprise, comme un grand rapace qui descend du ciel avec un bruit d'ailes puissantes pour piéger un mulot endormi.

Il n'y a rien de plus triste que les regrets, surtout les jours d'anniversaire.

« Papa, c'est quoi, être amoureux ? » me demanda Camille, à sept ans.

Je ne me souviens plus de ce que j'ai pu bredouiller, mais ce matin, en contemplant sa carte, j'aurais pu lui dire, en toute humilité, qu'à mon âge avancé, je n'avais toujours pas de réponse à sa question. Je ne connais ni l'odeur, ni la saveur, ni la texture de l'amour. On ne tombe plus amoureux, à cinquante-cinq ans. L'amour est synonyme de jeunesse, de beauté fraîche et juvénile. Voir deux vieillards s'embrasser est une vision d'horreur. Il est trop tard pour moi. Et pourtant, Dieu sait que j'ai rêvé de l'amour, de la femme, de cette Femme qui me captiverait d'un regard, d'un coup d'œil, d'un battement de cils, d'un battement de cœur.

Cet appartement me semble tout à coup, et pour la première fois, épouvantablement grand, blanc, vide, lisse. Je l'avais tant convoité, tant désiré, ce fameux appartement témoin. Témoin de quoi ? De mon angoisse et de ma solitude.

Je n'ai pas fait l'amour depuis je ne sais plus combien de temps.

Est-ce cela, avoir cinquante-cinq ans ? Ne plus avoir envie ? Je ne sais plus ce qu'est le désir. Où le ressent-on ? Quelque part dans le bas-ventre, ou les tripes, non ? Je ne désire personne, même pas moi-même. J'en arrive à penser, dans ces moments de doute, que je ne ferai peut-être plus jamais l'amour de ma vie. Le fait que cette affreuse pensée m'afflige à peine est un comble. Faudrait-il me résoudre à accepter le fait que je me moque de la morosité de mon existence ?

Les murs blancs demeurent imperturbables et insondables. Peu à peu la nuit s'installe, j'allume alors la lampe qui se trouve à côté du canapé, et je me vois reflété dans une des grandes baies vitrées, triste personnage rencogné, solitaire et gris, au physique si banal qu'un regard ne s'y accrocherait jamais.

Je ne me rappelle même plus la dernière femme que j'ai eue. Je me souviens vaguement d'une dame peu inspirante et peu inspirée, d'une érection capricieuse. Et depuis celle-là, depuis cette dame mécontente, le vide.

Personne.

La nuit s'impose ; le silence aussi, qui commence à peser. Il se fait si lourd qu'il me fait mal aux oreilles.

Rue Quentin-Bauchart régnait un bruit ambiant et perpétuel de machinerie d'ascenseur, de portes claquées, de voix sourdes et de vacarme familial auquel je m'étais habitué. Était-ce le miracle de la construction moderne, capable d'anéantir le moindre bruit extérieur et intérieur à l'immeuble qui créait cette désagréable impression de silence total et opaque ? Ou cette hauteur de plafond inhabituelle qui m'écrasait, me rendant tout petit et seul au milieu d'un vaste univers blanc et figé, comme un poisson rouge dans un bocal trop grand ?

Mes voisins sont des gens chics, riches et pressés, comme on en voit souvent dans le septième arrondissement, et qui ne dînent jamais chez eux le soir tant ils sont invités. Ici, pas de cris d'enfants, de gazouillis de bébé, d'aboiements, de rumeurs de télévision, de scènes de ménage. Même l'ascenseur vous emporte dans un silence glacial et feutré, ses portes d'acier glissant aussi délicatement que les pans d'un tissu soyeux. Oubliées, ces infernales machines parisiennes où il faut coincer du pied le lourd treillis métallique qui s'obstine à se refermer avant qu'on puisse se dégager des portières en bois, claquant en pleine figure avec un fracas joyeux ; où l'on est serré même lorsqu'on monte seul avec une baguette de pain.

Le plus difficile, c'est de me dire que j'ai, avouons-le, quasiment la soixantaine. Ne trichons pas avec les années, c'est du registre des femmes, qui font de même avec leur poids. Dans moins de cinq ans, j'aurai soixante ans, alors qu'au fond, dans ma tête, rien n'a changé. Ce chiffre qui croît d'année en année est impitoyable. Si je pouvais me remettre dans mon corps de vingt ans, je pense que je n'aurais aucun mal à redevenir un vrai jeune homme. Je saurais quel jargon parler, comment m'habiller, quoi danser. C'est cette gueule de la cinquantaine qui m'achève, ce corps mou, cette érosion des traits, ce sexe qui ne sert plus qu'à pisser, cette vue qui baisse et qui oblige à tenir son journal au bout d'un bras qui n'est jamais assez long. Devrais-je faire comme mon ex-femme et raboter un an ou deux, par-ci, par-là, pour que Camille se retrouve avec un père qui aurait l'âge d'un grand frère ? Il paraît qu'il suffit de verser habilement une tache de graisse sur le dernier chiffre de l'année de naissance affichée dans son passeport. Ensuite, c'est une spirale diabolique : penser à rajeunir d'une bonne année ou deux sa progéniture, convaincre ses amis qu'on est bien plus jeune qu'eux, faire naître le doute même dans l'esprit de sa propre mère en se disant le cadet au lieu de l'aîné.

Vivement vendredi soir et Camille !

Camille sur son canapé-lit enroulée dans une couette imprimée de notes de musique. Du haut de ma mezzanine, j'entends son souffle régulier et léger, et je me sens libéré du silence pesant qui me torture. Je peux enfin dormir, d'un sommeil profond et étrange.

Depuis que je vis ici, je dors mal. J'ai l'impression que les nuits sont trop courtes, même si je me couche à dix heures pour me lever à huit. On m'a volé quelques heures : je me réveille bouffi, blême et d'une humeur massacrante. Quand ma fille est là, je me sens mieux, comme si sa présence me rendait quelques heures de ce sommeil devenu si précieux. Mais le réveil demeure toujours aussi pénible, aussi agonisant : tel le plongeur qui remonte à la surface après un long séjour dans les bas-fonds glauques et dont les poumons éclatent dès la première bouffée d'oxygène.

Ce qui m'inquiète le plus sont ces sortes de crises d'étouffement ou de claustrophobie (le mot m'étonne dans un endroit aussi vaste) qui m'arrivent au milieu de la nuit, à l'heure la plus noire. Quand Camille dort là, dès qu'elle entend le début de mes suffocations, elle se précipite pour allumer et, immédiatement, le poids qui s'était abattu sur mon thorax s'envole.

— Mon pauvre père, me dit ma fille, il va falloir que tu dormes avec la lumière allumée ! Cela va mal.

— Pas un mot à ta mère, je te prie.

— Botus et mouche cousue.

Depuis qu'elle a quinze ans, Camille lit Shakespeare dans le texte, s'il vous plaît.

Assise en tailleur sur le parquet, elle est plongée ce week-end dans *Macbeth*. De temps en temps, elle lève la tête pour m'en lire un passage et me le traduire, mon anglais étant pratiquement inexistant. Cela m'a toujours étonné de l'entendre parler cette langue de façon aussi experte. L'histoire du pauvre Macbeth me fait frémir : sang, crimes, fantômes, apparitions horribles, vengeances meurtrières…

— Tu ne veux pas me lire quelque chose de plus gai ?

— Tu as une mine épouvantable, remarque Camille en refermant son livre bruyamment.

— C'est l'effet de cette pauvre Lady Macbeth en train d'imaginer ses mains pleines de sang.

— Cela ne te réussit pas la Rive gauche, on dirait.

— Je dors mal, c'est tout. C'est cela qui me donne mauvaise mine.

— Tu devrais aller voir un médecin. Tu as une sale tête, je trouve.

— C'est de la fatigue.

— Et tes étouffements nocturnes, c'est quoi, à ton avis ? Les ravages de l'andropause ? L'équivalent des bouffées de chaleur de maman ?

Je n'apprécie guère son humour noir.

— De la fatigue, je te répète.

— Tu devrais faire attention, papa. À ton âge, il faut s'écouter un peu. Sinon tu vas finir comme ces pauvres types qui ont des crises cardiaques à cinquante ans parce qu'ils bouffent mal, dorment mal et ne font pas de sport. Le père de Valentin est parti comme ça. Un dimanche, alors qu'il voulait frimer sur un court de tennis avec des amis, il s'est écroulé. Terminé, le pauvre ! Cinquante-deux ans ! Quelques kilos de trop, mauvaise hygiène de vie, cigarettes, alcool, tu vois, cela va très vite.

— Je préfère écouter les aventures macabres de Lady Macbeth que ta vision dantesque des tourments de la cinquantaine.

— Dis tout de suite que je t'emmerde.

Je pense que ma femme m'a quitté parce que je suis un raté.

Elle a demandé le divorce parce qu'elle n'a jamais pu compter sur moi. J'ai compris, assez récemment, que si je suis aussi médiocre aujourd'hui, c'est à cause de mes parents. Je suis le cadet de deux frères. L'aîné a fait Polytechnique ; le second, Sciences Po et l'E.N.A. Moi j'ai fait le cancre. J'ai grandi à l'ombre de ces deux frères brillants comme une plante sans soleil ni eau. Comme je n'avais pas de cerveau, on ne s'intéressait pas à moi. Mes complexes, eux, croissaient en toute beauté et possédaient une bien plus belle courbe de poids que le garçonnet maigrichon et aigri que j'étais. Mes parents n'ont rien fait pour me donner confiance en moi. Enivrés par le succès des aînés, leur affection et leur amour se concentraient en d'interminables et mièvres louanges qui m'écœuraient.

Je ne vois jamais mes frères. L'énarque s'est marié avec une robuste bourgeoise de Versailles avec qui il a eu trois fils, et l'X (que je soupçonne d'être homosexuel) se prend pour la figure de proue de la nouvelle intelligentsia parisienne. Je ne pense pas avoir été jaloux d'eux. J'étais tout simplement en manque d'affection et je souffrais en silence de cette pénurie d'amour, comme tout petit garçon fragile qui a besoin de sa mère. Elle ne m'embrassait jamais, et quand elle m'adressait la parole, c'était pour me dire de ranger ma chambre, de la laisser tranquille ou d'aller faire mes devoirs. Mon père, aussi, m'ignorait superbement.

Comment pouvait-on espérer façonner un être normal de cette manière ? Longtemps je me suis cru adopté, ou le fils adultérin de la femme de ménage que ma mère, en bonne chrétienne, aurait accepté d'élever comme étant le sien. L'ennui c'est qu'elle avait oublié, ainsi que mon père, qu'on n'élève pas un enfant avec des principes rigides mais avec de l'amour et de la patience. Le soir, à table, mon père faisait des remarques acerbes sur mes bulletins scolaires. Je piquais du nez dans les poireaux-pommes de terre. Ma mère bâillait d'ennui. À quatorze ans, las de cette ambiance familiale néfaste, je décidai de me venger en me faisant déniaiser par la fille de la concierge dont l'apparence physique avait toujours dégoûté ma mère.

Ma première conquête avait vingt-deux ans, un duvet noir au-dessus de la lèvre supérieure et des poils drus aux endroits les plus inattendus, mais ce qui répugnait à ma mère c'était sa démarche vulgaire, son hypertrophie mammaire, ses vêtements moulants et son parfum bon marché. Ma mère pensait qu'elle faisait mauvais effet dans l'immeuble, et que des gens de notre standing ne pouvaient accepter la cohabitation avec une telle créature. Je pensais provoquer un tollé retentissant : larmes de ma mère, sermon de mon père, renvoi de la concierge et de sa fille. J'imaginais même que j'allais devoir quitter le lycée pour être exilé, à l'autre bout de la France, dans une pension sévère pour jeunes hommes précoces et débauchés.

Il n'en fut rien. Quand elle apprit la nouvelle, par l'intermédiaire infaillible de la femme de ménage qui se mêlait toujours de ce qui ne la regardait pas et ne savait pas tenir sa langue, ma mère bâilla de nouveau en haussant les épaules et mon père, narquois, prononça au dîner, devant mes deux frères hilares, le seul proverbe latin que je n'ai pas oublié avec le temps :

Abyssus abyssum invocat.

2

Vers l'heure du dîner, il s'ennuyait tellement qu'il appela son ex-femme, ce qui lui arrivait rarement. Il tomba sur le répondeur, écouta quelques instants ; cette voix enregistrée lui paraissait plus prétentieuse que d'habitude. Il raccrocha sans laisser de message.

Pourquoi n'était-elle pas chez elle à huit heures du soir, un samedi ? Elle devait avoir un amant. Il l'imagina dans une brasserie, au théâtre, ou dans un restaurant à la mode, poudrée et fardée, ses cheveux cendrés impeccablement coiffés, vêtue d'un de ses tailleurs gris, bleu marine ou vert loden (elle ne portait jamais de couleurs vives), souriant à l'homme qui l'accompagnait et, plus tard, peut-être, confuse et silencieuse, elle se donnerait à lui dans le noir, car elle n'aimait pas la lumière durant l'amour, et cet homme ne verrait d'elle que l'éclair d'un mollet galbé, d'une cheville fine, d'une cuisse frileuse, et garderait l'image d'une pudique bourgeoise aux jolies jambes.

Elle les avait conservées malgré l'emprise du temps et il se surprit à y penser. Leur souvenir sembla accroître sa solitude. Il les avait toujours aimées, gainées de bas de soie beige pâle, jamais de noir. D'ailleurs, c'étaient ses jambes qu'il avait remarquées en premier, avec ces chevilles aristocratiques, ces genoux parfaits, ronds comme des galets, ces cuisses fuselées qu'elle s'entêtait à cacher sous des jupes trop longues.

Cela l'irrita de penser ainsi à son ex-femme, alors qu'il se morfondait dans son nouvel appartement. Comme il se laissait aller à une piteuse mélancolie, elle devait aiguiser le désir d'un autre et n'allait certainement pas, elle, finir la nuit seule dans son lit.

> *Fair is foul and foul is fair*
> *Hover through the fog and filthy air.*

Macbeth, oublié du week-end dernier, gisait ouvert sur le parquet du salon.

Ce week-end-là, Camille n'était pas venue, une de ses amies donnant une soirée. L'appartement lui sembla plus vaste, blanc et vide que jamais. Deux jours sans Camille. Une éternité. Dieu, que sa vie semblait plate, morne, triste. Ni piquant ni imprévu. Une routine d'hibernation totale. Le front appuyé contre la vitre, il regardait vaguement les voitures passer dans la rue de l'Université, une dame qui promenait son chien, une moto, un vélo, un garçonnet qui trottinait, un lourd cartable sur le dos.

Il se coucha tard, avec un mal de tête atroce, la nuque raidie d'être resté trop longtemps affalé sur le canapé. L'horrible silence de plomb était revenu. Pas de Camille pour le rompre. Il s'endormit avec une surprenante facilité, abruti de fatigue et de tristesse.

Il fit un rêve étrange.

Il rêva qu'il était entré, presque comme un voleur, dans un grand appartement aux teintes dorées ; ses pas glissaient sur une épaisse moquette beige et feutrée. Lentement il avançait dans un long couloir sombre et se dirigeait vers une source de lumière blanche qui l'hypnotisait par son éclat et sa puissance.

Fin brutal du rêve et début d'une crise d'étouffement rapidement maîtrisée car il eut la chance de trouver l'interrupteur. Il se retrouva hébété dans son lit froissé, terrassé par le même mal de crâne, la tête vide et les yeux fripés. Il se souvint vaguement d'avoir rêvé, mais le songe s'évanouissait déjà, fragile et périssable, comme tous les rêves.

Quelques jours plus tard, il refit le même rêve. Mais, avant de se réveiller et de reprendre conscience, il avait parcouru plus de la moitié du couloir vers la source de lumière. À mesure qu'il s'approchait de cette source, elle lui semblait encore plus forte, plus soutenue, plus intense.

Comme, en général, il rêvait peu, ou pas, et que cela l'intriguait, il le raconta à Camille.

— Il est débile, ton rêve ! Il ne s'y passe rien, fit-elle en haussant les épaules.

Plusieurs semaines s'écoulèrent avant qu'il rêve à nouveau.

Il s'occupa de son appartement, de l'installation d'appareils ménagers, d'une télévision et d'une chaîne stéréo.

— Mais c'est toujours aussi vide, remarqua Camille, même avec tes gadgets.

— C'est parce que c'est grand, dit-il.

— Trop grand pour toi.

— Pas quand tu es là.

Un soir il revint plus tôt du bureau car on devait lui livrer du mobilier. Il ôta sa cravate et entra dans la cuisine pour y boire de l'eau. Il prit un verre, ouvrit le réfrigérateur et en sortit une carafe. Il versa l'eau dans le verre, remit la carafe à sa place. Puis il avala une grande gorgée d'eau en renversant la tête.

Soudain, le rêve s'appliqua devant ses yeux avec une incroyable netteté, effaça la cuisine, le verre, le réfrigérateur.

Pendant un dixième de seconde, qui lui sembla une éternité, il se trouva dans le grand couloir doré, il sentit la moquette moelleuse sous ses pas, il regarda vers la source de lumière. Et, au fond de ses oreilles, il perçut un léger tintement musical.

34

La cuisine réapparut, le silence aussi, le rêve s'échappa.

Il eut peur, et s'assit lourdement sur une chaise. Son cœur battait vite et irrégulièrement. Il se dit qu'il devait être très fatigué. Puis il se ressaisit, termina son verre d'eau et essaya d'oublier l'incident.

Il n'en parla pas à Camille.

Camille, assez émue, lui présenta un dénommé Pierre, qu'elle avait rencontré lors de la soirée chez son amie. Il était grand et mince, son regard clair semblait transpercer les gens et les choses. Il parlait peu.

Ils dînèrent tous les trois dans l'appartement. Camille parla de *Measure for Measure*, son père des nouveaux voisins du premier étage et Pierre mangea beaucoup, sans dire un mot de tout le repas.

Ce soir-là, après le départ de sa fille et du jeune homme, il se demanda si Camille était encore vierge. À dix-huit ans, de nos jours, quelle jeune fille l'était encore ? Il tenta d'accepter cette fatalité de la vie, mais eut du mal. Les mains de ce garçon sur le corps de Camille… Avait-il été le premier, au moins ? Sa fille, toujours très discrète sur sa vie sentimentale, ne lui avait jamais révélé d'histoire sérieuse. Pierre semblait être le premier jeune homme qu'elle ait ramené à la maison, qu'elle ait tenu à lui présenter.

Celui-là s'incrustait dans la vie de la jeune fille, lui volait ses samedis soirs que jusqu'ici elle passait avec son père, et ces week-ends marqués de l'estampille paternelle, tant appréciés, se limitaient maintenant à un rapide déjeuner dominical, toujours en compagnie du taciturne jeune homme, affamé et muet, qui n'attendait qu'une chose, emmener ailleurs sa Camille. Il ne pouvait que comprendre, à contrecœur, l'attirance de Pierre pour sa fille, mais ce jeune mâle possessif qui rôdait sans cesse autour d'elle commençait à l'agacer. Camille ronronnait, rose et rayonnante, posant sur Pierre le regard ébloui et embuée d'une femme amoureuse. Et cela le rendait jaloux.

Prenait-elle au moins ses précautions ? Le spectre du sida, bien plus effrayant qu'une grossesse, se dressa devant lui. Camille était-elle au courant de toutes ces choses ? Il ne lui en avait jamais parlé, par pudeur.

Il se précipita vers le téléphone pour appeler son ex-femme.

— Sais-tu que Camille a un petit ami ?

— Oui. Il est très bien, ce jeune homme. Pourquoi me demandez-vous cela ?

— Je me demandais si tu avais parlé à Camille.

— Mais de quoi, cher ami ?

Il s'impatienta devant cette ironie typique.

— Mais enfin des choses que les mères doivent dire à leur fille, tu vois bien ce que je veux dire, non ?

Son ex-femme prononça alors des mots qui lui semblèrent étonnamment crus dans sa bouche d'aristocrate coincée. Elle en oublia même le vouvoiement.

— Tu penses que je laisserais ma fille baiser à droite et à gauche sans lui expliquer ce qu'est la pilule, ou une capote ? Tu me prends vraiment pour une cruche. Figure-toi que ta fille n'est plus vierge depuis qu'elle a seize ans. En ce qui concerne le cul elle tient bien de son père, non ?

Bégayant de rage, elle lui raccrocha au nez.

Il fut soulagé, un peu choqué, puis finalement assez amusé.

Le rêve refit son apparition, au milieu de la nuit, alors qu'il lui semblait être au bord du sommeil, mais pas tout à fait assoupi. Les images furent les mêmes : le long couloir doré, la source de lumière, et cette étrange petite musique dont le tintement ressemblait à celui d'un piano. Pouvait-on rêver aussi de façon sonore ? Ou entendait-il les sonates nocturnes d'un voisin mélomane qui aimait jouer à trois heures du matin ?

Par la suite, le rêve se manifesta régulièrement, durant une semaine ou plus, toujours dans ce moment où il se trouvait dans un *no man's land* ombrageux : ce terrain vague qui se situe quelque part entre le sommeil et l'état éveillé. En général, il s'endormait peu après.

Un soir, au milieu du rêve, il leva une main vers ses yeux pour vérifier s'il dormait.

Ses paupières étaient grandes ouvertes dans le noir.

Il comprit alors que s'il ne dormait pas, ce qu'il voyait ne pouvait être un rêve. Il alluma, s'assit dans son lit, sonné et inquiet. Était-ce une hallucination ? une vision ?

Il se leva, descendit dans le salon, arpenta l'appartement de long en large. Certes, il était fatigué depuis quelques mois, il avait mauvaise mine ; tout le monde le lui disait, certains avec un malin plaisir, comme son ex-femme, ou l'un de ses collègues, qui ne manquait jamais une occasion facile de lui faire une remarque déplaisante.

Il subit encore un mois de nuits blanches, visitées par la « vision », toujours accompagnée du tintement mélodieux.

Puis épuisé, angoissé et à bout de nerfs, il se décida enfin à prendre un rendez-vous chez un médecin, persuadé d'avoir une tumeur maligne au cerveau qui lentement le rendait fou.

Le docteur l'ausculta longuement en lui posant une multitude de questions. Il y répondit avec calme, certain que cet homme vêtu d'une blouse blanche allait trouver la cause de ses malaises et leur remède.

Mais le médecin ne se prononçait pas. Il n'avait même pas l'air perplexe. D'un doigt agile, il se gratta les paupières derrière ses grosses lunettes. Puis il les enleva et le fixa, de ce regard de médecin qui en a vu d'autres.

— Écoutez, sincèrement je crois que vous n'avez rien.

— En êtes-vous sûr ?

Le médecin sourit, comme si on ne devait jamais poser ce genre de question à un homme de sa profession.

— Vous ne m'inquiétez absolument pas. Votre cœur va bien, votre pression artérielle est impeccable, votre poids colle avec votre taille et tous les résultats d'analyses sont bons. Je crois tout simplement que vous êtes stressé, comme bon nombre d'entre nous. C'est la véritable maladie du siècle, vous savez.

Il se pencha sur une ordonnance, son stylo racla le papier.

— Si vous le voulez, et uniquement pour vous rassurer, car moi, je sais que vous allez bien, nous pouvons faire d'autres tests, d'autres analyses plus poussées. Je pense que vous êtes un peu fatigué, et que vous vous interrogez trop.

— Et la vision, alors ? Comment l'expliquez-vous ?

Le médecin eut un large geste de la main.

— Vous êtes fatigué et stressé, monsieur, donc plus apte à voir des choses qui, en fait, n'existent pas. Vous avez besoin de repos, d'un petit arrêt de travail d'une dizaine de jours, d'une cure de vitamines, alimentation équilibrée et sport, et vous serez de nouveau en pleine forme. Vous êtes en parfaite santé, ne l'oubliez pas.

Avant qu'il se lève pour quitter le cabinet, le médecin lui posa une dernière question qu'il trouva déplacée :

— Et le sexe, cela se passe comment ?

Il eut assez d'aplomb pour répondre du tac au tac :

— Cela ne se passe pas.

— C'est normal. C'est la cinquantaine.

Il sortit du cabinet médical comme bafoué.

Avant de rentrer chez lui, il passa par une pharmacie pour acheter un stock impressionnant de calmants, somnifères et vitamines.

— Alors ? dit Camille, jetant *As You Like It* par-dessus son épaule. Tu as quoi ?

— J'ai rien, fit-il platement.

— Comment ça, rien, t'as vu ta tête ?

— Je suis stressé. C'est la maladie du siècle. J'ai un arrêt de travail de dix jours. Il va être ravi, mon patron.

— Mais c'est très bien, tu vas pouvoir te reposer. On s'en fout de ton patron.

Il se tut.

— Qu'est-ce qu'il y a, papa ? Tu es bizarre.

— Je ne t'ai pas tout dit.

Il lui raconta les visions. Elle l'écouta, très attentive. Puis elle haussa les épaules.

— Tu sais, il a raison, le médecin. Tu es stressé, et le stress doit créer ce genre de phénomène. Moi aussi, je fais souvent le même rêve quand je suis fatiguée.

Il explosa.

— Mais ce n'est pas un rêve ! Je m'évertue à te dire que cela m'arrive quand j'ai les yeux ouverts, quand je ne dors pas !

— Papa, s'il te plaît, ne t'énerve pas…

Mais il était lancé.

— J'ai l'impression d'être pris pour un débile total, il m'arrive un truc bizarre, qui me dérange, et personne ne me prend au sérieux. C'est insensé ! On me dit que je suis fatigué ! Cela fait trois mois que cela

40

dure, cette histoire, trois mois que je ne dors pas et que j'ai la trouille. Voilà !

— Papa, arrête s'il te plaît. Écoute-moi. Ce n'est pas un médecin qu'il te faut, à mon avis.

— C'est quoi ?

— C'est un psy.

— Mais enfin, Camille, je ne suis pas fou ! Les psys c'est pour les fous !

— Pas du tout. Un psychanalyste t'écoutera, tu ne le connais pas, il ne sait rien de toi, tu vas lui décrire ton rêve ou ta vision et il va l'analyser et t'expliquer ce que c'est. C'est tout.

Elle parlait très lentement, comme à un petit garçon buté.

— Tu sais, reprit-elle, peut-être qu'inconsciemment tu as souffert du divorce, que cela t'a traumatisé. Ou alors, il se peut que durant ton enfance il y ait eu un épisode qui t'a marqué, et qui se manifeste maintenant par cette vision. Le psy va t'aider à trouver la signification de ce qui t'arrive. C'est très simple. Tu as lu Freud, non ?

— Non, dit-il, honteux. Mais elle l'avait convaincu.

Il se renseigna auprès de son médecin afin d'obtenir une bonne adresse. Longtemps il hésita avant d'y aller. Mais il prit le rendez-vous parce qu'il n'en pouvait plus et qu'il voulait en voir la fin.

— Un long couloir doré, dites-vous ?

— C'est cela.

— Avec une clarté au bout ?

ui.

Êtes-vous un éjaculateur précoce ?

— P… pardon ?

— Faites-vous des rêves érotiques ? Vous masturbez-vous souvent ?

— Je…

— Vous sentez-vous coupable lorsque vous vous masturbez ? Avez-vous des défaillances sexuelles ?

— Mais…

— Monsieur, je conçois parfaitement que ce genre de question puisse vous choquer ou vous surprendre. Vous ne devez pas en avoir l'habitude. Mais sachez que la méthode d'investigation psychologique que nous pratiquons aujourd'hui vise purement et simplement à élucider, à comprendre les significations inconscientes de votre conduite et de ses manifestations. Nous devons, vous et moi, tenter d'établir un dialogue continu, un dialogue qui, peut-être, mettra un moment pour se créer. C'est pour cela que vous allez revenir une fois par semaine pendant quelques mois, régulièrement, pour que, peu à peu, nous sondions, nous triturions l'origine de vos troubles névrotiques, de votre état pathologique. Pour cela, cher monsieur, je le répète, vous devez vous contraindre à cette méthode et répondre à mes questions en toute simplicité, en toute honnêteté.

Il s'arrêta enfin pour respirer, esquissa un mielleux sourire et ajouta :

— Vous me suivez ?

— Oui.

— Bien. Cela fait quatre cents francs, monsieur. À mardi, donc, même heure. Confirmez le rendez-vous à ma secrétaire.

Le psychanalyste lui prit tant d'argent et de temps pour lui apprendre des choses si « impensables » qu'il fut partagé entre le fou rire et le dégoût.

On lui expliqua que sa vision n'était autre que celle de sa propre naissance : « le long couloir doré » représentait l'utérus et le vagin de sa mère ; « la source de lumière », le monde extérieur vers lequel, attiré, il se dirigeait péniblement voulant sortir au plus vite de la matrice carcérale. Selon le psychanalyste, il devait subir encore quelques mois de thérapie avant d'espérer guérir.

Mais il y coupa court, excédé par ces humiliantes séances où l'on ne parlait de sexe qu'en termes scientifiques et psychologiques, définitivement convaincu que depuis le début de ces entrevues il n'avait fait que perdre du temps, sans parler du coût de cette désastreuse opération.

Comme pour le narguer, ce soir-là, la vision fut encore plus nette et spectaculaire d'intensité.

Il était parvenu presque à l'extrémité du couloir doré, au seuil de la clarté. Il se disait, s'il arrivait à le franchir, qu'une explication viendrait à lui, qu'il comprendrait enfin la cause de sa vision.

Peu à peu, il apprit à « s'ouvrir », à attendre que la vision s'installe devant ses rétines comme on chausse une paire de lunettes ou appuie sur un bouton pour faire apparaître une nouvelle diapositive. À la longue, il sut comment détendre tous les muscles, les nerfs de son corps et les méandres de sa pensée. Il lui semblait ainsi que même son cœur battait plus doucement, en sourdine, comme en attente.

Revoici les images, le couloir, la lumière, ses pas sur la moquette beige, le tintement musical. Il se relaxa, s'arrêta presque de respirer.

Il progressait lentement comme un cambrioleur, un intrus, toujours sur ses gardes, sans faire le moindre bruit.

La clarté l'appelait, le fascinait. Ses pieds l'atteignirent enfin.

Il fit un ultime effort, se décontracta totalement, sentit, dans son corps, les derniers bastions de résistance abandonner et se couler, fluides, dans le lent flux de détente qui l'envahissait.

Avec un léger frisson d'angoisse, il plongea dans la clarté qui l'aveugla alors de sa blancheur. Ébloui de lumière, comme lorsqu'on sort d'un lieu trop sombre pour se trouver en plein jour, ses pupilles se rétractèrent douloureusement, semblables aux huîtres aspergées de citron qui se recroquevillent vivement dans leur coquille.

Il se retrouva dans une très grande pièce entièrement baignée de soleil ; devant lui, de dos, une jeune femme jouait du piano. Elle était frêle et blonde, ses cheveux noués en une torsade élaborée. Inlassablement, elle jouait le même air, s'exaspérait, recommençait,

44

s'impatientait, pour reprendre à nouveau. À ses pieds, jouant avec les franges du tapis, il vit une petite fille blonde de deux ou trois ans qui leva la tête pour le regarder.

Il reçut en pleine figure le choc d'un regard vert et perçant le dévisageant avec une lucidité d'adulte qui le glaça.

Il ne se confia pas à Camille, qui pourtant se doutait de quelque chose. Il ne savait pas quoi lui dire au juste. Avant de lui parler, car il devait le faire, il lui fallait réfléchir et comprendre. Comment lui présenter les faits ? Lui avouer qu'il avait vu un fantôme ? Il n'y croyait pas. Mais alors quel mot, quel vocabulaire utiliser pour tenter de lui expliquer ?

Pour en avoir le cœur net, il rappela le médecin afin de passer des tests plus sophistiqués. Mais il savait d'avance, avec un sentiment de fatalité ironique, qu'ils ne décèleraient aucune anomalie, qu'il était parfaitement sain de corps et d'esprit.

Camille attendait Pierre pour le dîner. Vêtue d'une robe rouge moulante protégée d'un tablier plastifié à l'effigie d'un personnage de bande dessinée, elle virevoltait dans la cuisine à préparer le repas, sous le regard de son père.

Touché et agacé de la voir s'agiter et s'affairer ainsi, il lui demanda si elle était amoureuse de Pierre.

Elle pivota sur ses talons et le regarda avec un sourire malicieux.

— Qu'est-ce que tu crois ? fit-elle.

— Je crois que oui.

La sonnerie de la porte d'entrée l'empêcha de poursuivre son interrogatoire. Telle une flèche écarlate, elle sortit de la pièce. Il resta dans la cuisine afin de ne pas gêner leurs effusions.

Il n'avait pas grand-chose à dire à ce Pierre. Celui-ci, ni antipathique ni idiot, si avare de ses mots, était capable de rester muet tout un repas, de ne pas se soucier de ceux qui l'entouraient, ni même de témoigner de la moindre politesse. C'était surtout son regard clair et dur qui mettait mal à l'aise, sa façon de fixer les gens d'un œil qui ne cillait jamais, qui ne possédait pas une once de chaleur, d'humour ou de gaieté. C'était étonnant que Camille se fût amourachée d'un être aussi froid et distant.

Le dîner fut aussi silencieux qu'à l'accoutumée. Pierre ne sortit pas de sa tour d'ivoire pour s'exclamer de la succulence des mets que Camille, rougissante, posait devant lui.

Elle taquina son père, embarrassée par le mur qui s'installait, comme une espèce de défi, entre l'auteur de ses jours et l'homme de sa vie.

Son père réagit, riposta à ses blagues, tenta d'extraire le jeune homme de son mutisme obstiné.

— Allons, papa, mange un peu, reprends du gâteau, tu es tout blanc depuis quelques jours, on dirait que tu as vu un fantôme.

Il ne put s'empêcher de s'étrangler sur un morceau de gâteau en entendant l'infortuné mot.

— Il y a un fantôme ici, dit Pierre, de sa voix grave à la tonalité de baryton.

Camille, heureuse de l'entendre enfin parler, ne prêta pas attention à ce qu'il disait.

Elle s'esclaffa.

— Arrête de dire des bêtises, Pierre, tu vas faire peur à mon père. Qui veut du café ?

Pierre continua.

— Fantôme, ou présence, je ne sais quelle terminologie adopter, mais en tout cas, il y a bien quelque chose qui se manifeste ici.

— L'avez-vous *vu* ? demanda-t-il au jeune homme.

— Arrêtez vos âneries, lança Camille, un peu agacée.

Puis elle remarqua l'expression de son père, et se tut, effrayée.

— Non, fit Pierre. Je n'ai jamais rien vu, ni ici ni ailleurs. Je ne crois pas vraiment aux fantômes.

Il dégusta son gâteau, lentement.

— J'ai tout de suite senti qu'il y avait une présence, appelez cela comme vous le voulez, dans cet endroit, reprit-il. Rien de maléfique, rien de méchant. Mais une présence très forte, c'est tout. Comme si quelqu'un d'autre habitait ici à part vous.

— Mais qui ? Quoi ? s'écria Camille. Vous êtes complètement fous, tous les deux ! Vous voulez me faire peur, ou quoi ? Je n'aime pas du tout ce genre d'histoires, et puis, de toute façon, les fantômes, c'est dans *Macbeth*, pas dans la vie !

Pierre eut un sourire singulier.

— Mais non, Camille, ce n'est pas que dans *Macbeth*. Vous l'avez sentie, cette présence, n'est-ce pas, monsieur ?

Décontenancée, Camille vit son père éviter le regard du jeune homme et baisser la tête.

3

Un visage de femme, ovale parfait, deux sourcils en
accents circonflexes – mais je n'aperçois de ses yeux,
toujours baissés vers le clavier, que la nacre bombée de
ses paupières. Elle possède peut-être le même regard
vert que sa fille ; il ne peut s'agir que d'elle : mêmes
sourcils, même chevelure blonde ponctuée d'un épi en
forme de virgule, haut sur le front.

Les deux visages me hantaient, m'obsédaient ; l'un
pour sa beauté pure et froide, l'autre pour son regard
direct, un regard de femme dans une figure d'enfant ;
qu'en aurait dit mon psychanalyste ?

Je revois sans cesse la scène, la grande pièce illu-
minée par le soleil, le piano à queue noir, la partition
ouverte, la petite fille assise sur le tapis ; et je pense
souvent à cette musique assourdie qu'elle reprend
avec une sorte de frénésie désespérée, comme si sa vie
en dépendait.

Elle ouvre la bouche comme pour chanter, mais
je ne parviens pas à entendre sa voix, même si je me

trouve près d'elle. La particularité de la vision réside dans le fait que je perçois mal le piano, il « tinte », il ne « joue » pas. Certes, je me suis aperçu, à la longue, que l'air est toujours le même, mais il n'est pas assez distinct pour que je puisse le connaître par cœur. La bande sonore, si j'ose dire, n'est pas à la hauteur de la qualité visuelle. Le piano et la voix s'éteignent ; un peu comme lorsqu'on s'enfonce dans les oreilles ces boules roses et caoutchouteuses censées lutter contre les décibels : tout bruit extérieur est anéanti mais les bruits intérieurs du corps, battement du cœur, gargouillis de la digestion, souffle et respiration, n'en sont qu'amplifiés.

Je m'étais renseigné, à toutes fins utiles, auprès de mes voisins afin de savoir si l'un d'eux possédait un piano et en jouait de façon nocturne. Celui du troisième, un yuppie aux bretelles dignes du plus doré des *Golden Boys* de Wall Street m'expliqua qu'il n'écoutait que du rap. Ignare de termes musicaux, qu'ils fussent anciens ou modernes, je lui en demandai un échantillon, me disant que c'était peut-être cela. Au bout de soixante secondes d'un effroyable vacarme de percussions rythmées et d'onomatopées incompréhensibles, je le remerciai pour sa démonstration et allai sonner chez le voisin du premier qui me dit détester la musique et n'en écouter jamais, pour terminer avec les autres habitants de l'immeuble dont aucun n'avait de piano et la plupart pas assez de temps à consacrer à la musique.

Je savais bien qu'il n'y avait pas de piano dans l'immeuble. Mais avant de parler à Camille il me fallait tous les arguments possibles. Pour rien au monde, je ne voulais passer pour un fou aux yeux de ma fille.

Subitement, un soir, le piano se fit plus distinct. Je pus écouter, sans aucune difficulté, ce qui demandait tant d'efforts à cette jeune femme.

Je ne sais rien de la musique, le domaine de prédilection de mon ex-femme, mais je sus d'emblée deux choses : c'était un joli morceau et la pianiste déployait une technique brillante, digne de la plus grande virtuose.

Cependant, sa voix m'échappait encore, elle se perdait, s'évanouissait quelque part entre sa bouche grande ouverte et mon oreille qui tentait vainement d'en capter le timbre. Je voyais son long cou blanc tendu et gracieux, ses narines palpiter, sa poitrine se soulever mais à mon désespoir, pas une note ne me parvenait.

Et la petite fille sérieuse me regardait toujours.

Au bout d'un certain temps, je décidai de prendre quelques notes. Rien d'intellectuel, ni de recherché (je n'en aurais pas été capable), simplement un recueil d'impressions qui me permettrait de tenter d'y voir plus clair, de rendre la chose plus rationnelle, moins surnaturelle et surtout plus crédible.

Je commençai par remarquer que la vision ne se manifestait que lorsque je me trouvais dans l'appartement. J'avais beau me concentrer, y penser quand j'étais au bureau, dans la rue, chez des amis, elle ne me visitait jamais dans ces endroits. Elle attendait que je sois chez moi pour m'apparaître. J'en avais donc déduit que, d'après le peu qu'avait dit Pierre, ce « fantôme » ou cette « présence » habitait bien mon appartement. Mais comme elle se trouvait dans un immeuble neuf, datant de quelques mois à peine, où j'avais été le premier à vivre, cette « présence » ne pouvait, logiquement, y avoir séjourné avant moi. Souvent, passant par cette partie de la rue de l'Université, j'avais remarqué cet immeuble en construction. Personne n'aurait pu habiter dans des échafaudages poussiéreux, ouvrages provisoires et métalliques. Pourquoi cette présence avait-elle choisi de hanter un lieu aussi neuf, moderne, et vierge de tout passé ?

Ce fut une ancienne maîtresse qui me mit sur la voie, tout à fait par hasard.

Elle s'appelait Armelle. Nous nous connaissions depuis une quinzaine d'années. Mariée à un diplomate ennuyeux, elle avait vite cherché à se divertir et nous avions passé d'agréables moments : cinq à sept dans des hôtels d'arrondissements inconnus, voyages en secret, week-ends de combine, tout le grand jeu du double adultère. Je l'aimais d'amitié, pas d'amour ; elle m'aimait vraiment, un peu, mais pas assez pour devenir collante et exigeante (cette hantise des hommes mariés et infidèles) et nous nous étions quittés en bons termes.

Un jour je la croisai boulevard des Capucines. Elle tenait un petit garçon à la main :

— Mon petit-fils, dit avec une pointe de fierté cette bien jolie grand-mère, qui vieillissait harmonieusement.

Conversation banale :

— Comment va ta fille ?

— Comment vont tes enfants ?

J'étais pressé, j'avais rendez-vous avec un client important place de la Madeleine.

— Donne-moi vite ton nouveau numéro, demanda-t-elle.

J'inscrivis à la hâte mes coordonnées sur une carte.

— Tiens, tu habites à ce numéro-là de la rue de l'Université ? s'exclama-t-elle.

— Oui, dis-je.

— Le vieil immeuble de brique rouge ?

— Ah, non ! Pas du tout, une tour moderne datant à peine de l'année dernière.

— Il a été détruit, alors ? Je n'ai rien remarqué.

— Tu connaissais cet immeuble ?

— À une certaine époque j'habitais rue Surcouf, pas très loin, et la gardienne de l'ancien immeuble me prenait les enfants, de temps en temps. Tu es content de ton nouvel appartement ?

Le petit garçon s'impatientait et tirait sur la manche de sa mamie en me regardant d'un air méfiant. Je promis d'inviter Armelle à prendre un verre, puis je partis d'un pas vif, songeur.

Une grande pièce blanche inondée de soleil.

Une jeune femme blonde qui joue du piano, et toujours le même air.

Une petite fille au regard de femme.

Un vieil immeuble de brique rouge qui n'existe plus.

Le soir même, en rentrant du bureau, je sonnai chez la concierge de l'un des deux immeubles, fort anciens, qui encadraient le mien. Une femme assez jeune, aux traits tirés, m'ouvrit. Je lui demandai avec une certaine hésitation si elle avait connu des gens qui habitaient le vieil immeuble avant qu'il soit détruit. Elle me dit que non et me claqua la porte au nez.

Le vieil immeuble de brique rouge…

Avec un effort, je parvins à le retrouver dans ma mémoire. J'étais trop souvent passé devant lui en rentrant rue Quentin-Bauchart pour ne pas pouvoir m'en souvenir.

Je commençais à percevoir sa voix.

D'abord toute douce, comme du coton ou de la soie, glissant sur mes tympans avec une infinie subtilité, puis au fur et à mesure, gagnant de la force, de l'ampleur, du relief pour enfin éclater comme un arc tendu, forte, puissante, perçante mais toujours belle et voilà pourquoi son cou se crispait à ce point, c'était ainsi que la voix prenait son essor, montait, explosait, superbe. Mais elle n'en paraissait pas satisfaite, fronçait les sourcils, froissait de rage sa partition, alors que

54

la petite fille demeurait à ses pieds, imperturbable et figée, dirigeant sur moi cet inquiétant laser vert, regard du chat vers la souris.

Je ne pus m'empêcher de m'attacher à cette voix voluptueuse et chaude. Au début, enchanté par l'originalité et la beauté de son timbre, je ne fis pas attention aux paroles, la voix me berçait, appelait le sommeil qui venait vite, réconfortant marchand de sable, comme lorsque j'étais petit et que je m'endormais tout de suite, fourbu par la dure journée d'enfant que je venais de subir. J'ai souvent vu Camille, petite fille, s'assoupir de la sorte, dormir dès que sa joue touchait son oreiller, avant même que sa mère finisse la rituelle comptine du soir.

J'avais fait la paix avec la vision ; décidé de ne plus en avoir peur, je m'étais laissé envoûter par elle dans le seul but de comprendre pourquoi elle m'apparaissait et qui étaient cette femme et cette petite fille. Pourquoi se manifestaient-elles à moi ? Je n'en savais rien, mais je commençais à comprendre qu'à cause d'elles, ma vie se modifiait imperceptiblement. Autour de moi se tissait un essaim invisible et magique, un sillon secret dont il me fallait sonder l'origine.

Au bout de plusieurs jours et avec beaucoup d'application, je parvins à noter les paroles. Cela ressemblait à de l'italien, quelque chose comme :
Infelice oh Dio, mi fa, ma tradita, abbandonata, provo ancor per lui pietà.

C'était beau, cela me trottait dans la tête, je le fredonnais souvent, à voix haute. Parfois un air vous charme de cette façon, et vous le chantez à n'importe quel moment de la journée, sans vraiment vous en rendre compte. Je ne savais rien de cette mélodie, pourtant elle ne me quittait plus.

Camille me dit un jour :

— C'est joli, cet air, qu'est-ce que c'est ?

— Je n'en sais rien, un truc que j'ai dû entendre à la radio et qui ne me sort plus de la tête.

Mon ex-femme, venue chercher sa fille un dimanche soir et m'entendant chantonner l'air, me lança, incrédule :

— Tiens, vous chantez Mozart, maintenant ?

Stupéfaction de ma part :

— C'est du Mozart, ça ?

— Ce n'est pas les Beatles, que je sache.

— Mais c'est quoi de Mozart ? C'est quoi, exactement ?

— Mon cher ami, ne vous mettez pas dans un tel état, vous me faites peur. Vous me semblez bien agité.

— Réponds-moi, s'il te plaît, c'est important.

— C'est une des arias d'un des opéras de Mozart, je ne me souviens plus duquel. Je confonds souvent *Les Noces*, *Cosi*, et *Don Giovanni* ; en tout cas ce n'est certainement pas dans *La Flûte*, *L'Enlèvement au Sérail*, ou *La Clémence de Titus*.

— Tu en es sûre ?

Elle me fixa d'un air méchant.

— Vous doutez, comme d'habitude, de mes capacités mentales ? C'est amusant que vous vous intéressiez à Mozart maintenant.

— Pourquoi dis-tu cela ?

Elle haussa les épaules, triste et désabusée, mais la rancune prit, comme toujours, le dessus.

— Vous ne vous souvenez plus, comme par hasard, que j'ai beaucoup écouté Mozart, durant les vingt ans que j'ai gâchés avec vous, et cela me paraît être le comble de l'ironie que vous vous y intéressiez maintenant, alors qu'à l'époque, dès que j'en écoutais, vous sortiez de la pièce avec un air dégoûté. Vous m'avez détruit l'Amadeus. Quand je l'entends maintenant, je repense à la farce que fut notre mariage.

— Mon Dieu ! gémit Camille en entrant dans la pièce, vous n'allez pas recommencer, tous les deux ! On en a assez bavé, comme cela ! Ça ne sert à rien de reparler de vieilles histoires, c'est idiot et ça fait du mal à tout le monde. Allez, maman, on y va.

Mon ex-femme passa devant moi, les yeux baissés, le menton tremblotant. Puis elle me dit avec un ton larmoyant :

— C'est peut-être une des arias de la Comtesse, *Dove Sono* ou *Porgi Amor*, ou de Fiordiligi, *Come scoglio*. Ou alors une de Doña Elvira. Je ne pense pas que cela soit Doña Anna, Susanna ou Dorabella. J'espère que cela vous aidera.

De temps en temps, elle changeait ainsi de tactique pour tenter de m'émouvoir avec des soupirs las, des yeux mouillés et une voix hachée par d'imminents sanglots.

Mais cela ne marchait jamais.

— Je suis sûr que cela m'aidera, merci beaucoup.

— Je suppose que c'est important pour vous ?

Sourcils levés en demi-cercles pathétiques, coins des yeux en oreilles de cocker, pointe du menton fuyant de désespoir.

— Allez maman, dit Camille, arrête ton numéro de Cosette, on va tous se mettre à pleurer. Laisse papa à son rébus musical et dépêche-toi, on va être en retard.

Je les regardai marcher dans la rue, Camille tenant la main de sa mère comme on prend celle d'une petite fille lasse de chagrin. En voyant Camille s'occuper ainsi de sa mère et faire preuve d'un tel altruisme – qualité que je n'ai jamais eue, ni envers ma propre mère ni envers mon ex-femme –, je fus submergé d'une monstrueuse culpabilité, convaincu que mon égoïsme et ma lâcheté auraient des effets retentissants sur la santé mentale et le bonheur futur de ma fille qui, à dix-huit ans, devait passer de nombreuses soirées à consoler une femme fragile dont la vie avait été gâchée – c'était bien le mot, non ? – par un salaud qui n'était autre que son propre père.

Pauvre Camille, coincée entre sa loyauté envers moi, et l'amour qu'elle portait à sa mère ! C'est comme cela, tristement, que de nos jours les enfants ne restent pas très longtemps des enfants.

Me voici de retour chez moi en compagnie de *Cosi Fan Tutte*, *Don Giovanni*, *Les Noces de Figaro*, le tout en version intégrale, ce qui ne doit pas faire loin de dix heures d'écoute. Quand on n'aime pas l'opéra (et qu'on n'y connaît rien, surtout), c'est très long.

Mozart représentait pour moi un petit génie précoce à la perruque poudrée, singe savant de six ans qui jouait des menuets sur un clavecin avec les yeux bandés. C'est vrai aussi, et il faut bien que je l'avoue, son nom fait resurgir dans mon esprit le souvenir de mon mariage raté ; le visage sévère de mon ex-femme transformé par – oserais-je le dire ? – un orgasme musical : ses yeux fermés, frémissant derrière leurs paupières closes, sa main qui battait la mesure, ses lèvres entrouvertes dont l'abandon me paraissait indécent tant cette femme qui portait mon nom se donnait corps et âme, et avec bien plus de ferveur, à un maestro mort qu'à son mari vivant dont les prouesses d'alcôve semblaient loin d'égaler les sextes en rut majeur de l'aimé des dieux.

Pendant deux soirées, j'écoutai avec une extrême attention ces trois opéras, et ne trouvai rien qui ressemblait à mon air. Je me couchai déprimé et las, l'oreille gavée d'*arias*, *recitativos*, *duettos*, *cavatinas*, *terzettos*, *rondos* et *quartettos*, peu habitué à assimiler ce genre de sonorités qui me parurent aussi indigestes qu'un copieux cassoulet trop arrosé. J'en vins à croire que mon ex-femme, stupéfaite devant mon subit intérêt pour « son » Mozart (celui que je n'avais jamais daigné écouter pour la simple raison qu'elle le vénérait), s'était vengée et, à travers sa démonstration vibrante de pathos, en était arrivée, la garce, à me faire croire n'importe quoi. Comme elle avait dû rire en m'imaginant planté devant mes écouteurs, livret à la main, à la recherche d'une mélodie fictive, forcé d'écouter, pour la première fois de ma vie, pas un, mais trois opéras dans leur intégralité. Quelle belle vengeance elle avait manigancée là, tout à fait digne de son machiavélisme habituel ! J'aurais dû m'en douter.

Camille me fit la joie de passer le week-end suivant avec moi. Pierre, parti visiter des parents, me laissait enfin ma fille. Retour à ces petits déjeuners complices, à ces conversations qui m'avaient tant manqué.

Elle découvrit, non sans une certaine stupeur, les trois coffrets de Mozart.

— Tiens, tu écoutes ça, maintenant ?

— J'essaie.

— Maman tomberait raide si elle savait.

— Elle s'en doute.

— Et alors, tu aimes ?

— Pour l'instant, pas trop. Peut-être que cela viendra. Tu aimes, toi ?

Elle me regarda comme si j'avais lancé la plus grosse bêtise du monde.

— Tu connais quelqu'un qui n'aime pas Mozart ?

— Oui, fis-je, piqué au vif, moi !

— Tu dis cela parce que tu n'y connais rien. Comment veux-tu aimer quelque chose que tu ne connais pas ?

Elle me tourna le dos, manipula la chaîne quelques instants, puis une de ces ouvertures (qui à mon avis se ressemblent toutes) éclata dans la pièce.

— Tu ne peux pas dire que ce n'est pas beau.

Je ne répondis pas. C'était *Cosi*, ou *Les Noces* ?

— Tu dois trouver que je ressemble à maman, quand je te parle comme ça, hein ?

— Non, pas du tout, dis-je très poliment, et elle sourit, pas dupe.

Nous prîmes notre petit déjeuner dans le salon, en lisant les journaux du week-end, avec l'inévitable Mozart en fond sonore. Il commençait à me taper sur les nerfs, celui-là. Je subis en silence et sans broncher la totalité des *Noces* puis Camille voulut écouter *Don Giovanni*. Résigné, je montai dans la chambre, afin de m'isoler discrètement, sans la vexer.

Mais cet appartement, mal conçu pour la vie familiale et ses débordements, n'isola rien du tout. Je vécus en direct la mort du Commandeur, les sanglots de Doña Anna, l'appel à la vengeance d'Ottavio.

Et je me rendis compte, en suivant malgré moi le fil de l'intrigue, que grâce à ma concentration lors de mes vaines recherches, je n'avais peut-être pas trouvé mon air, mais j'avais inconsciemment appris le synopsis de *Don Giovanni*.

Après une deuxième ou troisième lamentation de Don Ottavio (que je trouve mou et peu viril – mais peut-être est-ce dû à son timbre de ténor qui me dérange, et parce que en tant que néophyte je dois préférer les consonances plus masculines et sûrement moins subtiles, du baryton, ou de la basse ?) je descendis de ma chambre pour trouver Camille assoupie sur le canapé. J'allais éteindre la stéréo lorsque, soudain, j'entendis l'introduction d'une aria à laquelle je n'avais pas prêté assez d'attention lors de ma première écoute (l'heure tardive et une grande fatigue y étaient sûrement pour quelque chose). C'était Doña Elvira qui chantait, avec cette fougue et cette verve qui lui étaient, semble-t-il, caractéristiques.

Quelque chose en moi se figea, se cristallisa, et, par miracle, l'air de la vision se fit entendre. Tout de suite je compris pourquoi, à cause de ma lassitude, je ne l'avais pas reconnu : dans la vision, il n'était accompagné que par un piano, tandis qu'ici, un orchestre entier se manifestait derrière lui. Un véritable arsenal musical décuplait sa portée ; ce que j'avais entendu n'était alors qu'une infime bribe de cette longue aria, une petite phrase dans un texte épais, un minuscule vers dans un vaste poème. Voilà pourquoi il m'avait échappé ; mon oreille cherchait un air nu à peine habillé de quelques notes de piano alors qu'en vérité il se trouvait au centre d'un vaste mouvement comme une fleur au milieu d'un jardin exotique.

J'écoutai l'air une demi-douzaine de fois, grisé et heureux, et même si la voix du disque me semblait moins convaincante, le fait que cet air m'était familier, que je l'avais reconnu d'emblée, le rendit encore plus beau.

Camille ouvrit un œil et pouffa de rire devant mon expression de béatitude.

« N'en fais pas trop », me dit-elle, en se levant du canapé.

Je ne pense pas me tromper en affirmant que de ce jour-là naquit ma passion tardive pour Wolfgang Amadeus Mozart.

La jubilation d'avoir retrouvé l'origine de mon air me rendit hilare de bonheur. J'eus l'impression de perdre dix ans. Camille me regardait, ahurie et ravie.

« Papa va très bien, il chante Leporello dans son bain », l'entendis-je dire au téléphone.

Mais ma joie fut de courte durée. J'avais retrouvé l'air, mais pas l'identité de la jeune femme. Il me fallait maintenant commencer sérieusement mon enquête, qui s'annonçait longue. Cela ne m'avançait pas beaucoup de savoir qu'elle chantait du Mozart.

Je fis une tentative auprès de la concierge de l'immeuble de droite, en espérant être mieux reçu que dans celui de gauche.

Mais elle était absente et je dus patienter plusieurs jours avant de la coincer. Ce n'était pas pratique avec mes horaires de travail, mais j'y parvins, un soir, à l'heure du dîner, alors qu'une forte odeur de friture émanait de la loge et que je me savais observé de derrière les rideaux de nylon.

J'expliquai ma mission à une femme bien plus sympathique que sa collègue d'à côté : je recherchais une amie d'enfance qui avait habité le vieil immeuble de brique rouge, celui qui avait été détruit l'année dernière. La concierge me dit qu'elle travaillait ici depuis peu de temps et qu'elle n'avait connu personne dans le vieil immeuble, mais que Mlle Lavigne, la vieille dame du premier pourrait peut-être m'aider. Elle habitait là depuis plus de quarante ans. Je la remerciai de son amabilité et bondis avec espoir dans l'escalier.

Mais Mlle Lavigne ne répondit pas à mes coups de sonnettes enthousiastes, son téléviseur devant être poussé au maximum de sa puissance sonore. Un petit chien jappa furieusement derrière la porte. Je revins à la charge plusieurs fois, en vain. Chaque fois, j'entendais les aboiements et les voix métalliques, déformées, étonnamment fortes, qui provenaient du récepteur comme si elles émanaient d'une autre planète, d'une galaxie lointaine et inconnue.

Au bout de deux semaines, convaincu que la demoiselle était morte et qu'elle pourrissait au fond de sa baignoire, le col du fémur brisé (mésaventure typique des vieilles dames de son âge), je fis part de mon inquiétude à mon amie la concierge qui s'empressa de me rassurer en m'apprenant que Mlle Lavigne avait une dame de compagnie dont la tâche principale était de veiller sur elle.

Alors me vint l'idée de déposer ma carte sur le paillasson (où ladite dame de compagnie, sûrement aussi sourde que sa protégée, vu qu'elle ignorait mes sonneries intempestives et répétées, prenait le courrier tous les matins), en expliquant ma mission : amie de classe, immeuble d'à côté, retrouvailles inespérées après de si longues années, seriez-vous assez aimable de, etc.

Je dus patienter encore quinze jours, ce qui me fit enrager. J'avais, de surcroît, ce mois-là, une masse de travail inhabituelle, et j'étais de ce fait moins disponible que j'aurais aimé l'être.

En rentrant à l'appartement un vendredi soir, abruti par une dure semaine de travail, Camille, qui avait pris ses quartiers du week-end, me dit en guise de salutation :

— Tu fais dans les vieilles, maintenant ?

— Quoi ?

— Il y a une très vieille dame complètement sourde qui t'a appelé.

— Mlle Lavigne ?

— Elle-même.

— Et alors ? Qu'est-ce qu'elle t'a dit ?

— Elle veut te filer un rencard. Je crois que tu as une touche avec elle.

— Quand ?

— Dis donc, cela a l'air d'être du sérieux, vu la tête que tu fais. Elle a dit qu'elle n'avait pas pu te joindre avant parce qu'elle est malade et très fatiguée, mais elle veut bien que tu l'appelles demain à seize heures.

— Ah…

— Qui c'est, papa, et pourquoi veux-tu la voir ?

— Je te le dirai bientôt. Pour l'instant cela me regarde, d'accord ?

— D'accord, fit-elle, un peu vexée.

Le lendemain, à seize heures, Mlle Lavigne me proposa de passer chez elle le jour suivant, dans la soirée.

Elle avait quatre-vingt-treize ans. À cet âge-là, les femmes, en général, perdent toute coquetterie et annoncent la bouche en cœur, et à qui mieux mieux, le nombre inavouable de leurs années comme si elles étaient des miraculées, rescapées de la porte du paradis, s'imaginant que le Bon Dieu ne veut pas d'elles, condamnées à vivre encore quelque temps sur terre, alors qu'elles n'aspirent qu'à une chose : retrouver leurs époux défunts, là-haut sur un petit nuage rose, ceux qui les quittèrent dans la force de l'âge et en firent des veuves avant l'heure. Les vieilles dames de ce genre s'attendent à des compliments sirupeux et compatissants sur le fait qu'elles soient encore en vie.

Mlle Lavigne possédait un dentier décati par le temps qui adhérait mal à ses gencives décimées, une haleine d'outre-tombe, et un teckel à poils longs, visiblement très frustré, qui se masturbait sournoisement sur mon mollet malgré mes multiples tentatives de dissuasion.

Assis dans un grand salon lugubre et triste devant une tasse de café tiède et quelques petits fours en voie de décomposition (que je donnai discrètement au teckel en espérant détourner son attention de ma jambe), j'endurai pendant trois quarts d'heure les détails insupportables et insalubres des nombreux maux de la demoiselle : anus artificiel installé après un cancer du colon, œdème des membres inférieurs, arthrite, rhuma-tismes, et opération de la cataracte.

Après avoir atteint le seuil de tolérance de ces récits nauséabonds, et définitivement chassé l'ignoble teckel d'un coup de pied adroit, j'en vins au but.

Ce ne fut pas une mince affaire ; le dialogue s'avéra tout à coup pénible et difficile, tout simplement parce que Mlle Lavigne était très dure d'oreille lorsqu'on ne parlait pas d'elle et de ses maladies.

Je lui décrivis au mieux la jeune femme blonde qui chantait Mozart, la petite fille, le grand appartement du vieil immeuble de brique rouge. Les avait-elle connues ? Savait-elle si elles étaient encore en vie ?

La vieille dame commençait à se fatiguer. Elle s'énervait, ses mains virevoltaient, tremblotaient, fébriles.

— Ah, mais je ne sais plus, je ne me souviens de rien...

Je l'encourageai, en insistant peut-être un peu trop.

— Mais comment voulez-vous que je m'en sou-vienne, si vous-même vous ne vous rappelez pas son nom ? gémit-elle en prenant son front dans ses mains.

À ce moment, l'austère dame de compagnie me pria fermement de partir avec un signe de menton exaspéré qui signifiait : ouste, dehors !

Face à cette duègne rébarbative, je battis en retraite, honteux d'avoir mis la pauvre vieille dans un tel état de nerfs. Le cerbère me raccompagna et devant mon air dépité me dit :

— Revenez donc dans quelques jours, cela ira mieux. Elle est très fatiguée, il ne faut pas la brusquer.

Je laissai passer une semaine, en rongeant mon frein. Puis je retournai sonner à sa porte. Il n'y avait plus de bruit de télévision et le teckel n'aboya pas. La dame de compagnie mit longtemps à m'ouvrir. Elle me regarda froidement comme si elle me voyait pour la première fois.

— Mlle Lavigne a été hospitalisée la semaine dernière, m'annonça-t-elle d'une voix sinistre comme si c'était de ma faute. Elle a eu une crise cardiaque. C'est très grave. Elle va mourir ce soir ou demain.

— Je... je suis désolé.

Haussement d'épaules.

— Elle était vieille, vous savez. Elle en avait assez.

Nous restâmes à nous regarder en chiens de faïence, sans rien dire.

Je fis mine de m'en aller.

— Ah, il faut que je vous dise...

— Oui ? fis-je.

— Mlle Lavigne a retrouvé le nom de votre amie d'enfance, la jeune femme blonde qui habitait dans l'immeuble d'à côté. Je l'ai noté pour vous. Elle a mis longtemps à le retrouver parce que sa mémoire n'est plus ce qu'elle était. D'après ce qu'elle m'a raconté, votre amie était quelqu'un d'extraordinairement doué. Une merveilleuse cantatrice, une mozartienne, m'a-t-elle dit. Attendez donc, je vais vous chercher le nom.

Je l'ai marqué sur un bout de papier qui ne doit pas être loin.

Elle s'absenta un court instant.

— Voilà, monsieur. Elle s'appelait Adrienne Duval. Mlle Lavigne ne m'a rien dit d'autre, monsieur, ni où elle habite maintenant, ni même si elle est encore en vie.

le lendemain, sur la foi de ce qu'avait dit le notaire, que...

Elle s'est tue un court instant.

Nous pouvons établir à quelle... Allons-y

David Kill... a mis ses mains à...

start... soit... bonne maintenant... et celui-ci... avec...

encore ce soir.

4

Adrienne Duval.
Voilà que la boule était lancée, les dés jetés.
Adrienne Duval.
La vision avait enfin un nom.
Ce n'était plus un pâle fantôme assis devant le grand piano noir, mais une femme presque en chair et en os qui chantait Mozart avec une énergie farouche.

Sa tâche lui parut énorme. Retrouver cette femme, rechercher sa trace, comprendre pourquoi elle le hantait lui sembla soudainement trop difficile à entreprendre. Il décida d'abandonner, avant même d'avoir commencé. Mais lorsque la vision revint avec une clarté plus troublante encore, il comprit qu'il lui fallait coûte que coûte savoir qui était cette Adrienne Duval.

Il eut du mal à trouver ses enregistrements. Personne n'en avait entendu parler. Il se dit alors qu'elle n'avait peut-être rien enregistré, et que le talent dont la pauvre Mlle Lavigne avait un si éclatant souvenir s'était limité aux quatre murs du grand salon clair du vieil immeuble de brique rouge. Douée, elle l'avait sûrement été, mais pas assez pour percer et se faire un nom.

Malgré tout, il s'acharna, passa des commandes pour obtenir des discographies périmées, farfouilla, à ses heures libres, dans les quatre coins de la capitale, chez des petits disquaires qui tentaient de faire vaillamment front au raz de marée du Compact Disc en vendant à prix d'or des 78 tours en cire introuvables. Il fit quelques virées aux Puces, tôt le matin comme il se doit, mais ne rapporta rien.

Alors il partit sur une autre piste, se renseigna auprès des Opéras et des salles de concert, en racontant aux attachées de presse toujours la même histoire : une amie de jeunesse qu'il avait perdue de vue, qui chantait merveilleusement bien et qui avait peut-être chanté sur cette scène à une époque pas très lointaine.

Il fut accueilli aimablement par la personne chargée des relations publiques de la Salle G., une demoiselle Pascale Giraud, vieille fille grisonnante qui, même débordée, restait abordable. Il l'appelait régulièrement, passait la voir en sortant de son travail, mais elle ne trouvait rien dans ses archives.

Au bout de quelques mois, il commençait à se décourager quand, un matin, Mlle Giraud l'appela à son bureau.

— Je crois avoir attrapé votre papillon rare, lança-t-elle, triomphante.

— Adrienne Duval ? dit-il, incrédule.

— Elle-même, cher monsieur. Nous vous attendons toutes les deux. À tout de suite.

Il tenait dans sa main la preuve irréfutable qu'Adrienne Duval n'était pas issue de son imagination : un double recueil de grandes arias pour soprano, par W.A. Mozart, enregistrées en 1961 lors d'une représentation unique à la Salle G., et qui ne semblait pas avoir été largement diffusé. Sur le revers, il lut des critiques dithyrambiques sur la jeune cantatrice. Elle n'avait alors pas trente ans.

Il découvrit, très ému, une photo d'elle ; c'était bien le même ovale parfait, la chevelure blonde et son épi, les sourcils en accents circonflexes.

— Vous la connaissiez bien ? demanda Mlle Pascale Giraud, curieuse de son émotion.

— Oui, dit-il, sans hésiter.

Et il caressa d'une main rêveuse la photo, où l'on voyait bien de face les grands yeux clairs, ces yeux qu'il n'avait jamais aperçus parce qu'ils regardaient toujours vers le clavier. Ils étaient clairs, comme ceux de sa fille, mais toute ressemblance s'arrêtait là ; les yeux d'Adrienne Duval n'étaient que douceur et rêverie, ceux de sa fille : dureté et force, infiniment dérangeants dans un visage joufflu de fillette.

De retour chez lui, il voulut écouter le disque mais la qualité médiocre de l'enregistrement et l'état des sillons l'en empêchèrent. Maintenant Adrienne Duval avait pratiquement soixante ans, et sa fille, une petite trentaine.

Il regarda jusque tard dans la nuit la photo de la jeune femme, ne se lassa pas d'examiner chaque trait, le moindre détail de son visage harmonieux, nota une certaine fragilité autour de la bouche, comme si son léger sourire masquait une émotivité dangereuse – sensibilité qu'il retrouvait dans ses yeux distraitement vagues, où l'on sentait des larmes, à fleur de peau. Il se souvint, alors, de sa rage et de son énervement quand, lors de la vision, elle maîtrisait mal une vocalise ; ses petites mains frappaient brutalement le piano, envoyaient balader la partition, couvraient ses yeux frustrés avec désespoir.

Avant de s'endormir, il se dit qu'il ne fallait pas oublier d'envoyer des fleurs à Mlle Pascale Giraud. Puis il s'installa confortablement, attendit la vision. Mais elle ne se manifesta pas.

Il prit cela comme un bon signe.

Il avait remarqué que le fameux air figurait sur le disque. Comme Adrienne Duval semblait avoir le même âge sur la photo que dans la vision, il se dit que, lorsqu'elle lui apparaissait, elle devait le répéter pour le récital. Ainsi s'expliquaient son acharnement et sa nervosité. Quand il la voyait, elle ne semblait pas satisfaite de sa voix mais, d'après les critiques qu'il lut sur le recueil, le spectacle avait été un triomphe : « Un rare talent », « Une sensibilité extraordinaire », « Adrienne Duval, comme son maître, est aimée des dieux », « Ce n'est qu'une fois dans un siècle, et encore, qu'on entend chanter Mozart ainsi ».

Comment était-il possible qu'une jeune diva couverte d'éloges si prestigieux, promise à une carrière brillante, sombre ainsi dans l'anonymat, sans même laisser de trace, à part un disque désormais inaudible ?

Qu'était devenue Adrienne Duval depuis trente ans ? Chantait-elle encore ? Ou avait-elle perdu sa voix, comme la Callas ? Oubliée de tous, s'était-elle coulée dans une existence médiocre et solitaire, noyée dans l'alcool ?

Le téléphone ulula dans la nuit comme une bête qu'on abat.

Il haïssait ces nouvelles sonneries électroniques. En tâtonnant dans le noir, il attrapa le combiné.

Son réveil afficha un cadran vert et lunaire dans l'obscurité : deux heures du matin.

À l'autre bout du fil, des sanglots et une voix méconnaissable.

« Camille a eu un accident, viens vite je t'en supplie ! »

Au milieu de la nuit, groggy de sommeil, on réfléchit moins vite. Il mit au moins une minute à comprendre qu'il s'agissait de son ex-femme, que quelque chose d'épouvantable était arrivé à sa fille.

Camille allongée sur un lit, une perfusion dans le bras, la mâchoire entourée d'un pansement, pâle, les yeux clos.

À ses côtés, son ex-femme, secouée de spasmes, et Pierre, immobile et blafard.

On lui apprit que Camille avait été renversée par un chauffard sur un passage clouté en rentrant chez elle après une soirée passée à réviser avec des amis de la faculté. Le conducteur ne s'était pas arrêté, et il n'y avait pas eu de témoins assez proches pour relever le numéro d'immatriculation. Un passant, qui avait vu l'accident de loin, s'était précipité. Camille n'avait pas ses papiers sur elle, juste quelques livres d'étude qui ne portaient pas son nom. C'était sa mère qui, inquiète de ne pas la voir rentrer après minuit et sachant qu'elle était partie depuis un bon bout de temps de chez ses amis, appela enfin la police. Ronde téléphonique de routine des hôpitaux les plus proches, confirmation qu'on y avait accueilli en urgence dans l'un d'eux, vers onze heures, une jeune fille brune de dix-huit ans vêtue d'un jean, d'un pull bleu et d'un imperméable clair, sans papiers d'identité, renversée par une voiture, à un carrefour près du boulevard des Batignolles, dans le dix-septième arrondissement.

— Si elle avait eu ses papiers, on m'aurait appelée beaucoup plus vite, dit son ex-femme en pleurant.

— Je tuerai le salaud qui a fait ça, marmonna Pierre entre ses dents.

Ils le regardèrent, surpris. Ils n'avaient pas l'habitude de le voir montrer ses sentiments.

En contemplant Camille étendue sur ce lit d'hôpital, suffoqué par l'odeur doucereuse d'éther, il oublia instantanément Adrienne Duval. Plus rien ne comptait. Il prit la main de son ex-femme et tous les deux pleurèrent devant ce qu'ils avaient de plus cher au monde, leur enfant, la chair de leur chair, le seul lien capable encore de les réunir, qui faisait d'eux en ce pénible moment des parents unis et non des époux divorcés, parce que leur fille avait failli mourir.

Il se rendit compte de la fragilité de l'existence, lui qui ne s'était jamais posé de questions, acceptant bêtement et sans ciller les aléas de la vie.

— Va-t-elle vivre ? demanda-t-il à l'interne de garde.

Camille aurait pu laisser sa peau sur les pavés d'un boulevard parisien, tout simplement parce qu'un inconnu, un verre de trop dans le nez, s'était pris pour James Bond au volant d'une voiture qui roulait trop vite. Et s'il s'était arrêté, ce connard, aurait-il eu le courage de sortir de son bolide pour contempler le spectacle d'une jeune fille maculée de sang, d'une vie fauchée, d'une âme qui s'envolait prématurément vers le ciel ?

— Elle a eu beaucoup de chance, monsieur. Il n'y a pas de traumatisme grave : le fémur brisé, quelques côtes cassées, la mâchoire déboîtée, de belles égratignures. Elle s'en sortira.

— Combien de temps ?

— Le temps qu'il faudra pour qu'elle se remette à marcher, et qu'elle oublie. Elle est jeune, ça ira.

— Le type qui conduisait ne s'est pas arrêté.

L'interne haussa les épaules d'un air blasé.

— Vous savez, ici on voit cela tous les jours. C'est affreux, mais c'est la vie. Votre fille a eu beaucoup de chance, répéta-t-il, compatissant.

Pour quitter l'hôpital, ils durent repasser par les urgences.

À l'aller, inquiets pour Camille, ils n'avaient rien vu. Des spectacles abominables surgirent devant eux : c'était le défilé incessant des grands blessés de la route, ces restes d'êtres humains sanguinolents et broyés, encastrés dans la tôle meurtrière, déjà à moitié morts qu'on emmenait sur les brancards ; le ballet morbide des blouses blanches et des camionnettes de SAMU dont la sirène stridente semblait ne jamais vouloir s'arrêter. En apercevant un bébé déjà bleu, le visage en bouillie, perfusé de partout, qu'on tentait désespérément de réanimer et qui était passé, semblait-il, à travers le pare-brise d'une voiture accidentée, son ex-femme le supplia en sanglotant de rester encore un peu avec elle. Il n'eut pas le courage de lui refuser cette faveur, et ils sortirent en se tenant toujours par la main, sachant que Camille était vivante, miraculeusement vivante, mais ne pouvant oublier la douleur de ces jeunes parents restés là-bas, hébétés devant la mort inévitable et injuste de leur enfant.

La convalescence de Camille fut longue. Elle passa un mois à l'hôpital. Au bout de ces quatre semaines, elle put enfin remarcher, chancelante, blanche et maigre au bras de ses parents. Il prit vite l'habitude de passer ses soirées avec elle ; il allait directement de son bureau à l'hôpital. Son ex-femme, de garde durant toute la journée, repartait à ce moment-là.

Au début, Camille n'avait pas faim, et ne voulait rien manger. Épuisée, elle pleurait souvent comme une petite fille, se plaignant d'avoir mal à la tête, mal à ses veines perfusées, mal à sa jambe cassée. Il la consolait doucement, tentait de lui changer les idées, lui apportait des petits cadeaux : livres, confiseries, cassettes, magazines. Au bout de la deuxième semaine, n'en pouvant plus, elle voulut quitter l'hôpital à tout prix. Elle tenta de se lever au grand mécontentement des internes, s'attira le courroux des infirmières en refusant systématiquement tous ses repas. Puis elle se calma, et sembla accepter son sort.

Un soir, elle demanda à son père de lui lire quelques sonnets de Shakespeare. Il s'exécuta, un peu honteux de son accent minable. Elle le laissa lire assez longtemps. Il lui semblait entendre des bruits bizarres, mais n'y prêta pas attention. Il continua. Tout à coup elle explosa de rire et il se rendit compte qu'elle riait sous cape depuis le début. Elle lui dit, suffoquant presque, qu'elle n'avait jamais de sa vie entendu quelque chose d'aussi drôle. Pauvre William Shakespeare ! Il était sûrement en train de se retourner dans sa tombe.

— Je crois que tu es en train de guérir, dit-il, légèrement pincé.

Elle se laissa tomber en arrière sur son oreiller, les yeux au ciel.

— Ah, non ! pas du tout. Je suis encore très faible.

Elle reprit le livre de poésies.

— Je ne savais pas que ton accent était si nul.

— Je ne savais pas que tu aimais autant te moquer de ton pauvre père.

— Je vais te les lire comme il faut, d'accord ? Comme ça tu feras des progrès en m'écoutant. Cela pourra toujours te servir, on ne sait jamais.

Heureux parce qu'il sentait qu'elle allait bientôt quitter cette chambre et que, pour la première fois depuis l'accident, elle semblait plus vivace, il l'écouta lire les sonnets avec son impeccable accent, et même s'il ne comprit rien, il trouva cela très beau.

Shall I compare thee to a summer's day ?
Thou art more lovely and more temperate :
Rough winds do shake the darling buds of May
And summer's lease hath all too short a date.

Il décida d'emmener Camille en vacances. Cela ne pouvait lui faire que du bien. Elle était sortie depuis plus d'un mois, mais n'avait toujours pas retrouvé son aspect normal. Pâle et triste, elle semblait avoir perdu son enthousiasme, sa verve, son énergie.

Ils partirent pour le Pays basque en voiture. Ils y étaient souvent allés, tous les trois, quand Camille était petite fille et que le mot « divorce » n'avait pas encore été prononcé. Ils s'y étaient même rendus, jeune couple, avant la conception de Camille.

Elle s'était endormie dès la sortie de Paris, sa tête roulant sur ses épaules recouvertes de ses longs cheveux noirs. Ses cils se recourbaient, longs et fins sur ses joues maigres et blanches. De temps en temps, il lui jetait des regards inquiets.

Pour tromper la monotonie de l'autoroute, il alluma la radio, pas trop fort pour qu'elle ne se réveille pas, trouva une station quelconque, et se concentra sur la route. Il écouta vaguement une musique classique tout en pensant qu'il restait encore trois cents kilomètres avant d'arriver à Saint-Jean-de-Luz.

La route défilait devant ses yeux comme un grand ruban gris strié de petites langues blanches. Encore quelques heures, et ils y seraient. Camille irait forcément mieux, confrontée à l'air iodé et aux bienfaits de l'Atlantique. Ils iraient se promener sur le petit port de Ciboure, marcher dans le vieux quartier de Saint-Jean-de-Luz, se balader à Biarritz, au Rocher de la Vierge où, toute petite, elle avait eu peur des vagues déchaînées. Elle voudrait certainement retourner à Arcangues, à Ahinoa, à Fontarrabie déguster des *tapas*, et elle retrouverait ses jolies joues pêche de belle brune, son rire joyeux, son espièglerie.

Camille avait peu été malade, petite fille. Son ex-femme et lui, polarisés par cette enfant unique trop couvée, s'angoissaient dès qu'elle avait plus de 37°5. Il se rappelait des nuits entières passées à son chevet parce qu'elle avait la rubéole, les oreillons, ou quelque autre maladie infantile. Le pédiatre de famille se mordait les lèvres pour ne pas rire. Camille, petite comédienne astucieuse, en faisait toujours trop, mimait les douleurs les plus atroces, dans le seul but de ne pas aller à l'école pendant une semaine. Son ex-femme avait toujours montré plus d'autorité que lui. Camille irait à l'école, même avec un rhume. C'était décidé. Mais le thermomètre affichait quarante-deux. Ils se regardèrent, affolés. Camille râlait sur son oreiller, les yeux révulsés. On reprit la température, masquant toute panique, et la fillette fut laissée seule, afin que les parents puissent décider en aparté des mesures à prendre devant cette surprenante maladie. Il eut un doute. À travers le trou de la serrure, il vit sa fille commettre l'irréparable affront de glisser la pointe du thermomètre sur l'ampoule de sa lampe de chevet. C'est ainsi qu'à huit ans elle reçut sa première grosse gifle. Ce fut un triste jour, celui où il apprit que sa fille était capable de ruser et de mentir, comme tout le monde, comme n'importe qui.

Plongé dans ses réminiscences, il ne fit d'abord pas attention à la voix de la radio.

Puis il se rendit compte, avec une peur inexplicable, que chaque poil de ses avant-bras était en train de se dresser, que ses cheveux aussi se hérissaient lentement, tandis qu'un grand frisson l'envahissait tout entier.

Il était en train d'entendre la voix d'Adrienne Duval.

Il n'y avait absolument aucun doute, c'était bien celle de la vision.

C'était un autre air, mais la même voix. Il en était parfaitement convaincu.

Il parvint à ralentir, à se ranger sur la bande d'arrêt d'urgence, les mains crispées sur le volant, le cœur battant à se rompre.

Il douta, se dit que ce n'était pas possible, qu'il se trompait, puis comme pour le contredire, ou le punir d'avoir douté, la voix suave de l'animatrice susurra à la fin du morceau : « C'était Adrienne Duval, en 1959, chantant un air sacré de Wolfgang Amadeus Mozart, *Laudate Dominum*, KV 427, dirigée par P… Un enregistrement très rare de cette splendide soprano lyrique disparue en 1962 à l'âge de trente ans. Et maintenant, une page de publicité. »

Il éteignit la radio, encore sous le choc.

Camille s'était réveillée, et le fixait avec inquiétude.

— Papa, dit-elle, qu'est-ce qu'il y a ?

Il fut incapable de répondre.

— Papa, répéta-t-elle, il faut que tu me parles. Cela fait des mois que je sais qu'il se passe quelque chose, et que j'attends que tu m'en parles. Il faut que tu le fasses maintenant.

Il se frotta les yeux, se demanda par où, par quoi et comment commencer, et se lança.

Il avait toujours pensé qu'elle ne le croirait jamais, et c'était précisément pour cette raison qu'il avait tant hésité à lui en parler. Elle l'écouta, très concentrée, puis posa quelques questions. À la fin de son long récit, il se tut, craignant le pire, s'attendant à un fou rire incontrôlé, un silence d'incompréhension ou une exclamation de ridicule.

Mais elle lui prit la main avec une grande douceur et se pencha vers lui.

— Papa, ce qui t'arrive est extraordinaire.

Il hocha la tête.

— Je sais.

— C'est le genre de chose qui n'arrive qu'à très peu de gens. Il faut que tu retrouves la trace de cette femme et de sa fille. Tu ne peux pas laisser passer cela.

Elle ne dit rien pendant quelques instants et serra sa main dans la sienne.

— Écoute, je vais t'aider à la retrouver, cette Adrienne Duval. À nous deux, on ira plus vite. On n'en parlera à personne, ni à maman, ni à Pierre. Cela sera notre secret, d'accord ?

— D'accord, dit-il.

— Papa, je sens qu'on va vivre une grande aventure !

Il la regarda et vit à sa joie et à son étonnement qu'elle avait retrouvé un peu de rose aux joues et d'enthousiasme aux yeux. Cette jeune fille souriante ressemblait beaucoup plus à sa fille que la triste et lasse personne qui avait pris place à côté de lui au début du trajet.

Adrienne Duval s'était assise entre lui et Camille, et avait rendu le bonheur de vivre à sa fille.

Il vit renaître Camille petit à petit. Le spectre blanc de l'hôpital n'était plus qu'un mauvais souvenir. Son ex-femme téléphonait de temps en temps, Pierre aussi, mais cela devenait difficile de les joindre ; père et fille partaient tôt le matin pour la plage et rentraient tard le soir après une virée sur les hauteurs brumeuses de la frontière espagnole dans ces auberges cachées qu'on appelle *ventas* et où l'on peut dîner comme des rois pour trois sous.

Il avait l'impression de retrouver sa fille, celle d'avant Pierre et d'avant l'appartement, celle d'avant même le divorce. Pourtant, elle avait changé, ce n'était plus une gamine insouciante et taquine. Sa Camille avait mûri. Lors de la séparation tardive de ses parents, elle avait été le témoin réticent de ces règlements de comptes sordides, aussi l'adolescente légère s'était-elle muée en une femme réfléchie.

Au fur et à mesure que se déroulait leur séjour basque, Adrienne Duval devenait omniprésente. Elle s'inséra de façon quotidienne dans leurs journées par les moyens les plus surprenants : une jeune femme blonde avec la même coiffure aperçue au coin d'une rue leur fit échanger un coup d'œil complice ; quelques mesures d'un concerto de Mozart entendu par une fenêtre ouverte, une petite fille aux cheveux d'or et aux grands yeux verts jouant sur la plage… Tout était prétexte à un sourire entendu.

— Je me demande pourquoi elle t'apparaît, dit Camille. Il y a sûrement une raison. Les fantômes ne hantent pas pour rien ; en général, c'est parce qu'ils sont malheureux. Cette pauvre Adrienne Duval est morte à l'âge de trente ans, puisqu'on l'a entendu à la radio. Peut-être est-elle morte dans la souffrance, la douleur, et est-ce pour cela qu'elle te visite.

— Je n'en suis pas convaincu.

— Si elle n'était pas morte, ton histoire ne tiendrait pas debout. Si Adrienne Duval n'était pas décédée, elle ne pourrait pas te hanter. Les fantômes de gens vivants n'existent pas, c'est connu.

— Et la petite fille ?

— La petite fille est sûrement morte, elle aussi, sinon tu ne la verrais pas non plus. Pour comprendre pourquoi tu les vois il faut qu'on sache de quoi elles sont mortes toutes les deux. Même si c'est morbide.

— Moi, je crois que tu te trompes. Je ne pense pas qu'elles soient des fantômes.

Étonnement de Camille.

— Mais alors, que sont-elles ?

— Je ne sais pas exactement. Mais pas des fantômes, j'en suis convaincu. D'ailleurs, je ne crois pas aux fantômes, et ce qui m'arrive ne me fera pas changer d'avis. Je pense qu'Adrienne Duval et sa fille sont des… (il chercha le bon mot) des vestiges du passé. Disons que leur existence et leur histoire n'ont pu disparaître avec la destruction du vieil immeuble de brique rouge. Leur vie de tous les jours, leurs atomes, leur présence, s'est calquée en quelque sorte sur les murs. Et moi, comme une sorte de buvard, j'ai absorbé les fragments de ces vies, j'ai capté les ondes laissées par Adrienne Duval et sa petite fille. Pourquoi ? Je n'en sais rien. Mais voilà comment je ressens cette histoire.

86

En regardant les grosses vagues à l'écume mousseuse se briser sur la plage avec un bruit fracassant, semblable au tonnerre, il repensa à l'appartement silencieux et blanc, puis au vieil immeuble d'Adrienne Duval.

Il songea à toutes les joies, les pleurs, les naissances, les morts, les fêtes, les drames, les intrigues, les tromperies, les mensonges, les scènes, les retrouvailles, qui s'étaient déroulés entre ces murs, rasés, réduits en poussière et oubliés.

Souvent il avait regardé, intrigué et amusé, ces vieux papiers peints plus ou moins intacts, grands carrés choisis avec soin, assortis les uns au-dessus des autres, sur les murs mitoyens d'immeubles détruits – tranches de vie et d'intimité crûment offertes au regard de tous ; ces traces de cheminées disparues où de bons feux avaient brûlé, ces restes de carrelages provenant d'une salle de bains où tant de corps nus s'étaient lavés, d'une cuisine, témoin de mille réunions familiales, de repas mijotés avec amour, de préparatifs pour de joyeuses ripailles.

Était-ce possible qu'il ne reste rien d'un immeuble détruit ? Rien des familles qui y avaient vécu ? Des cris d'enfants dans les couloirs, des célébrations de Noël, des anniversaires, des mariages, des baptêmes ? Rien de tout ce qui fait la vie d'une famille, et la vie tout court ?

De retour à Paris, il se mit à voir partout des immeubles en cours de démolition. Cela devenait une obsession. Ce qui l'impressionnait le plus, c'était ces énormes panneaux éclaboussés de mots rouge sang : PERMIS DE DÉMOLIR, DÉMOLITION TOTALE, ENTREPRISE DE TERRASSEMENT qui ornaient, funèbres, les immeubles désormais condamnés à mort. Il détestait aussi les grues qui se dressaient immenses et maléfiques, comme des oiseaux de mauvais augure, pliées sur leur proie, vastes croix plantées au-dessus de ces cimetières d'immeubles, remplis de gravats et d'éboulements.

Atterré, il voyait ces grues à chaque coin de rue, elles poussaient partout comme des champignons vénéneux, même dans les plus beaux et les plus vieux quartiers de la capitale qu'il croyait protégés de l'invasion du béton armé. Pourquoi détruire ces habitations de charme ? Pourquoi démolir un édifice qui témoigne du passé ? Et pour reconstruire quoi ? de tristes bâtiments aux minuscules fenêtres aveugles, écrasant les rues de leur laideur désastreuse.

En fait, tout avait commencé à Biarritz.

N'y étant pas revenu depuis plusieurs années, depuis ce voyage en amoureux avec son ex-femme quand ils n'étaient encore que des fiancés, il fut choqué par l'apparence moderne de la ville. Les villas extraordinaires, fantasques et rocambolesques, qu'il avait tant admirées, avaient disparu, s'étaient tout simplement volatilisées en laissant leur place à d'inesthétiques complexes immobiliers bâtis à la hâte et sans aucun goût artistique. Envolés, la villa Pélican sur la route du Phare, la villa Marbella, la tour Genin, le chalet Nadaillac, et les hôtels Miramar, d'Angleterre, Carlton, Victoria. Maintenant tout n'était que lotissements, parkings, résidences, hideux édifices gris et modernes.

Les grues le hantaient à un tel point qu'il se mit à entrevoir des choses dignes d'un roman de Kafka.

Il imaginait qu'il marchait dans un des quartiers les plus historiques et les plus préservés de Paris, près de Notre-Dame, qu'il était seul dans ces petites rues et qu'il n'y avait pas une voiture, pas un passant.

Le quartier était mort, silencieux, angoissant. Les façades lui semblaient vides et tristes. Il ne voyait aucune vie derrière les vitres salies par la pluie et la poussière.

Puis il s'aperçut que sur chacun de ces splendides immeubles étaient placardés les panneaux qu'il avait appris à haïr et à redouter, ces implacables avis de démolir. Il comprit avec fureur et chagrin que tout le quartier allait être détruit, reconstruit, modifié, et qu'il était impuissant face à cet incompréhensible carnage.

Un matin, au réveil, il crut constater avec frayeur que tous les immeubles anciens de Paris avaient été rasés pendant son sommeil. À leur place se dressaient des bâtisses modernes ; le tracé des rues, des avenues et les noms n'avaient pas changé. Incrédule, effaré, il longea un boulevard Saint-Germain bordé de gratte-ciel jusqu'à l'île Saint-Louis. Les quais de Béthune et d'Orléans, lieux charmants où jadis il avait tant aimé se promener, n'étaient que tours, supermarchés et parkings.

Alors, encore sous le choc, il osa regarder du côté de l'île de la Cité. Plissant un peu les yeux d'appréhension, il contempla une zone futuriste – appelait-on cela Z.U.P., Z.A.C ou Z.A.D. ? – et un amas de grues, bulldozers, bétonneuses, derrière lesquels il devina à peine les spires blanches d'une Notre-Dame asphyxiée.

5

Au début, très excitée par sa tâche, Camille fit un peu n'importe quoi. Elle décida de mener une enquête auprès des habitants de notre immeuble afin de savoir s'ils avaient senti, eux aussi, une présence. Crayon aux doigts, innocent sourire aux lèvres, elle alla frapper à toutes les portes, faisant, soi-disant, un sondage sur le surnaturel et la réincarnation. Elle me raconta par la suite que mes voisins devaient être les gens les plus ennuyeux qu'elle avait jamais rencontrés de sa vie.

Celui du premier (qui d'après mes souvenirs n'aimait pas la musique) l'envoya grossièrement balader avant même qu'elle puisse prononcer un mot. Elle eut juste le temps, avant que la porte se referme devant elle, d'apercevoir dans le salon quatre ordinateurs clignotants en train d'imprimer avec un infernal bruit mécanique.

Imperturbable, elle alla sonner au quatrième où elle fut reçue par une jeune femme transpirante en tenue de gymnastique qui se trémoussait furieusement sur un vieil air des Village People et qui lui raconta pendant une demi-heure (tout en continuant de sautiller) les bienfaits du jogging, stretching, aérobic, musculation, birchermuësli, germe de blé, fibres végétales, son, gelée royale, soja, et riz complet. Croyait-elle aux fantômes ? Non. Au régime lacto-ovo-végétarien, oui.

Dégoûtée par cet étalage macrobiotique, elle se réfugia au troisième chez le *Golden Boy*, qui, tenté par le spectacle d'une aussi jolie fille sur le pas de sa porte, l'invita à prendre un verre. Camille, en jeune demoiselle bien élevée, refusa poliment son invitation et brandit son bloc-notes afin d'obtenir une réponse. Le têtu jeune homme, tout aussi courtoisement, lui répondit qu'il n'avait pas de fantôme chez lui mais un double lit *king size*, très confortable, importé de Californie. Désirait-elle l'essayer ? Elle tourna sur ses talons pour redescendre dans l'appartement paternel, excédée.

Camille se lança dans cette entreprise hasardeuse avec une fougue qui me surprit. Peut-être trouvait-elle tout cela très romantique ? Nous ne savions pas très bien par où commencer nos recherches. Je sombrai dans un pessimisme noir, convaincu que nous ne trouverions jamais rien, mais elle, butée, effrontée, sut me communiquer sa détermination et sa rage de réussir.

Je me disais que même si nos recherches restaient vaines, j'aurais vécu les heures les plus amusantes de ma vie, en compagnie de ma fille qui ne reculait devant rien. Je ne pouvais m'empêcher de sourire devant les regards perplexes de mon ex-femme et de l'amant de ma fille, qui nous trouvaient, depuis notre retour du Pays basque, un air suspect. Pour rien au monde, je n'aurais voulu partager avec autrui cette complicité nouvelle, ce secret qui nous avait tant rapprochés. Camille courait après le fil d'Ariane laissé par Adrienne comme un chaton grisé d'aventure et cette course semblait être devenue le centre de sa vie, aux dépens de Pierre et de sa mère. Inutile de dire que j'en fus ravi.

Camille me montra une liste qu'elle avait établie de choses à faire pour ce qu'elle appelait « la chasse à l'Adrienne Duval ». En conséquence, sa première année de licence d'anglais souffrait d'un certain manque d'attention. Shakespeare, délaissé, accumulait de la poussière. J'en fus un peu honteux.

Après mes vacances, je retrouvai le bureau avec mollesse et l'appartement avec beaucoup de joie. Il me sembla plus vivant, plus habité maintenant que je connaissais son secret, qu'il s'était livré à moi : il rayonnait de la présence d'Adrienne Duval. Mais la vision ne me visita plus. Mes nuits furent calmes et belles, plus jamais troublées par les crises d'étouffement ; je dormais d'un sommeil réparateur et luxueux.

À ma grande surprise, je recommençais à regarder les femmes dans la rue. Cela ne m'était pas arrivé depuis longtemps. J'ai toujours aimé regarder les femmes, et je l'avais toujours fait, même durant mon mariage.

Mon ex-femme n'avait guère apprécié ces hommages visuels qui ne lui étaient pas destinés. Mais je ne le faisais pas pour la peiner, pauvre idiote, cela m'arrivait automatiquement, inconsciemment, comme à tous les hommes, depuis qu'ils sont en âge de désirer une inconnue qui passe dans la rue (moi, cela m'a pris vers quinze ans) et de la reluquer plus ou moins ouvertement, se retournant sur les plus appétissantes.

Je me souviens de ces promenades du dimanche, au bois de Boulogne, où, en jeune famille modèle, nous promenions notre fille dans son grand landau anglais tandis que mon ex-femme, agrippée possessivement à mon bras comme une ventouse ou une liane, m'examinait du coin de l'œil suivre d'autres femmes du regard. J'admirais ces jolies bourgeoises aux joues roses qui, elles aussi, faisaient prendre l'air à leur progéniture. Qu'elles étaient belles dans leurs vestes autrichiennes, mèches rebelles retenues par un sage serre-tête, mains fines gantées, entourées d'une ribambelle d'enfants joyeux !

J'admirais, tout aussi ouvertement, les titillantes créatures qui stationnaient à un mètre les unes des autres le long de l'avenue Foch, vêtues de cuir moulant, jarretelles troublantes, les lèvres peintes d'un rouge criard, les jambes gainées de bottes qui montaient jusqu'à mi-cuisses, l'œil égrillard, la bouche suggestive, même par un glacial dimanche matin. (« Papa, me demanda Camille à dix ans, qu'est-ce qu'elles font, toutes ces jolies dames maquillées ? » Réponse paternelle : « Elles attendent des messieurs. »)

Il m'est arrivé aussi, je l'avoue, de ressentir un trouble confus devant quelque écolière fraîche et lisse qui va bientôt devenir femme, et qui le sachant me fixe droit dans les yeux avec un regard pur de vierge, souriant d'un sourire qui n'est qu'à moitié innocent.

Outrée par ces infidélités mentales (je précise que je n'avais pas encore découvert les infidélités du corps), mon ex-femme commença à me faire des scènes de jalousie, m'ordonnant de tenir en laisse ce regard baladeur.

Mais c'était trop me demander. Jouir de cette liberté visuelle m'était un grand privilège : je ne possédais pas un physique de playboy et une femme ne m'avait jamais adressé un tel regard de convoitise.

Les femmes ne me regardaient pas, j'étais bien trop laid. Cela ne m'empêchait nullement, moi, de les boire avidement du regard, de les posséder de ma rétine impétueuse, d'imaginer, rien qu'en les caressant de mes yeux, leur nudité offerte à mes plus âpres désirs.

Voilà que cela me reprenait. Je les trouvais toutes belles, ces Parisiennes inconnues et je les étudiais sans concupiscence, ni vulgarité, mais avec une sympathie admirative teintée de désir. Toutes désirables, comme dans l'air du catalogue de Leporello ; les grosses, les maigres, les brunes, les blondes, les jeunes et les moins jeunes, toutes différentes et toutes jolies. J'arpentais les rues, un sourire au coin des lèvres et l'œil à l'affût.

— Papa, j'ai un cadeau pour toi, m'annonça Camille, quelques semaines après notre retour de vacances.

Elle jubilait en me regardant, tenant quelque chose derrière son dos.

— Mais tout d'abord, je vais te raconter l'histoire de ce cadeau. Assieds-toi.

Je m'installai dans le canapé. Debout devant moi, elle tenait toujours ses mains cachées.

— Cela concerne notre amie Adrienne Duval.

— Je m'en doutais.

— Je suis allée à la mairie du septième arrondissement, rue de Grenelle. Étant donné que l'immeuble de la rue de l'Université semblait être son dernier domicile fixe avant sa mort, je me disais que j'allais peut-être y trouver une piste. Alors je me suis rendue au service de l'état civil de la mairie.

— Cachottière !

— Je suis tombée sur une emmerdeuse de première qui m'a envoyée balader sous prétexte qu'elle n'avait pas le temps de rechercher l'état civil que je lui demandais, étant donné qu'il ne s'agissait pas de quelqu'un de ma famille. Je lui fis remarquer que ces dossiers étaient publics (je m'étais renseignée), mais elle ne voulait rien savoir. Visiblement je l'importunais. Alors je suis partie, déterminée à revenir et à ne pas me laisser faire.

— Cela ne m'étonne pas de toi.

— Je suis revenue plusieurs fois, mais la Gorgone était toujours là à me fixer d'un regard noir. Puis, au bout de deux semaines interminables, un matin, elle n'était pas là, et à sa place se trouvait un charmant jeune homme.

— Je parie que tu l'as embobiné.

— Pas trop. Juste assez pour qu'il croie les bobards que je lui racontais ; que j'étais une passionnée d'opéra et que je voulais écrire la vie d'une certaine Adrienne Duval, cantatrice méconnue des années soixante dont le dernier domicile connu était le numéro 150 de la rue de l'Université.

— Et alors ?

— Il a tout gobé, le petit monsieur. J'en ai rajouté, lui disant qu'il y avait très peu d'éléments sur elle, que je n'étais même pas sûre qu'elle ait habité là, et qu'il me fallait faire des vérifications afin de commencer mes recherches.

— Et puis ?

— Il est parti dans ses archives et j'ai attendu, en n'ayant qu'une trouille, que la Gorgone resurgisse. Finalement il est revenu avec un morceau de papier… que voici !

Elle le brandit, triomphante.

— Papa, c'était tellement facile !

— Trop facile, presque.

Elle ne m'entendit pas, trop occupée à faire des bonds de joie autour du salon.

Même si je n'en avais pas douté un seul instant depuis le début, ce fut tout de même extraordinairement réconfortant de me dire que je n'étais pas fou.

En observant le parcours de ce qui m'était arrivé depuis que je vivais dans cet appartement, ce qui me frappait le plus était l'apparente facilité avec laquelle j'avais réussi à identifier Adrienne Duval.

J'ai toujours été pessimiste de nature ; ma difficile enfance, mon mariage raté et ce manque de confiance en moi que je traîne comme un boulet au pied depuis que je suis né, y sont pour quelque chose. Cette facilité, loin de me réjouir, m'inquiétait. J'attendais qu'un grain de sable s'insinue sournoisement dans les rouages précis et minutieusement huilés de cette vaste machine, et sème le désordre et le chaos dans les événements qui s'étaient jusqu'ici déroulés sans heurts, glissant comme par une magie invisible.

Mais la trajectoire parfaite de l'apparition d'Adrienne Duval dans ma vie demeurait toute aussi mystérieuse. Même si je savais maintenant qu'elle était née à Meudon-la-Forêt en mai 1932, que sa mère s'appelait Yvonne Marie Blanche Letourneur (sans profession) et son père Gaspard Louis Amédée Duval (architecte), qu'elle était morte au 150, rue de l'Université en décembre 1962, et que son nom complet était Adrienne Adèle Baptistine Duval, épouse Churchward, cela ne m'avançait à rien, puisque je ne comprenais toujours pas pourquoi elle m'était apparue.

Camille avait peut-être trouvé la preuve ultime de l'état civil, mais pas l'élément le plus important, pas l'essentiel. Le cadeau de Camille, ce morceau de papier blanc, symbole de tant d'espérance paraissait soudainement insignifiant devant notre désarroi.

Camille se détacha un peu de nos recherches, à partir de ce moment-là. Elle retrouva ses études, Pierre, ses amis, passa moins les week-ends avec moi. Elle avait dû se lasser, sans oser me le dire. Je meublais ma solitude en allant à des concerts, à l'Opéra écouter celui que j'avais appris à respecter, aimer et connaître à travers Adrienne Duval. Mlle Pascale Giraud, qui, je crois, m'aimait bien, m'envoyait souvent des places pour des récitals à la Salle G. Ainsi, je fis la connaissance d'autres compositeurs.

Un soir, lors d'une représentation du *Stabat Mater* de Pergolesi à l'église de Saint-Germain-des-Prés, j'aperçus mon ex-femme en compagnie d'une de ses amies.

Elle ne me vit pas tout de suite ; je pus l'observer à ma guise, sans qu'elle s'en doute, et il me sembla, dans la lumière diffuse des cierges, qu'elle était plus jolie que d'habitude. Peut-être était-ce dû à la beauté de ce que nous écoutions, du mélange parfait de ces deux timbres de voix si différents et pourtant si complémentaires : l'envol aérien de la soprano et la grave douceur de la contralto.

Le visage de femme que je regardais, et que je pensais trop bien connaître, que j'avais vu sous toutes les apparences possibles : furieux, exalté, comblé, jaloux, méprisant, m'apparaissait ce soir d'une façon nouvelle ; ce visage s'offrait comme une fleur en plein épanouissement à l'écoute de ces voix divines, d'autant plus sacrées que nous nous trouvions dans une église, et j'eus l'étrange impression de contempler les traits glorieusement tristes et magnifiquement tourmentés d'une Mater Dolorosa.

Lorsque les voix se lancèrent dans *O quam tristis et afflicta*, son regard croisa le mien et le charme de l'instant fut rompu.

Elle me dévisagea, d'abord stupéfaite, puis indignée, comme si, en venant écouter Pergolesi, j'empiétais sur ses plates-bandes, ou je commettais l'ignominieux sacrilège de m'aventurer dans sa propriété privée.

Avant que je puisse lui sourire, elle détourna la tête, le menton fier et l'œil dur, ses boucles d'oreilles vibrant furieusement sur ses lobes, petites gouttes d'or scandalisées.

Cette histoire prenait trop d'importance dans ma vie. Adrienne Duval m'avait emberlificoté dans une fable qui n'avait ni queue ni tête, et dans laquelle il ne se passait maintenant plus rien.

Il fallait que je tente d'oublier, que je passe à autre chose, un second divorce, en quelque sorte. La vision ne se manifestait même plus. Parfois j'avais l'impression qu'elle s'immisçait entre deux rêves, mais de façon très fugace.

Mais tout cela m'agaçait, car jamais je n'aurais cru que cette histoire se terminerait ainsi, retombant aussi platement qu'un soufflé au fromage raté. J'en avais espéré beaucoup plus et j'en fus amèrement déçu, comme un petit enfant à qui on promet une surprise qui ne vient jamais.

Et puis il y eut ce dîner avec Basile.

J'avais un ami d'enfance, Basile O., qui était (et je le dis sans méchanceté gratuite) aussi médiocre que moi.

Je veux dire que sa vie ressemble étrangement à la mienne : une série de désastres, un itinéraire semé de nullité et d'abîmes, le tout couronné d'un physique encore plus banal que le mien.

Le pauvre homme n'a pas eu la chance d'avoir d'enfant, c'est pour cette raison que je pense mener une vie moins triste que la sienne. Mais je me serais bien gardé de le lui dire. Il y a des choses qu'on ne confie point, même pas à son plus vieil ami.

Je n'avais pas vu Basile depuis plus d'un an. Il s'était entiché d'une femme insupportable et je préférais ne pas le voir tant qu'il était avec elle. Et puis il y avait eu mon déménagement, Adrienne Duval, l'accident de Camille, les vacances, et c'est tout simplement ainsi qu'on perd le contact avec un ami.

Il me téléphona un jour au bureau pour me dire qu'il avait quitté sa déplaisante compagne, et qu'il voulait dîner avec moi. J'en fus très heureux.

Nous nous retrouvâmes dans un bistrot de la rue de Sèvres où nous avions l'habitude d'aller. Je trouvai qu'il avait pris un coup de vieux. À nos âges, même une toute petite année de plus, cela se voit ; elle creuse davantage le visage et raréfie encore plus le cheveu. Mais à en juger par la manière dont il me détaillait, j'en déduisis qu'il devait penser la même chose de moi.

— Comment va ta fille ?

— Au mieux.

— Toujours aussi jolie ?

— Pire que ça.

Basile était laid, mais son physique ingrat me plaisait. C'était un vrai joli-moche, un authentique beau-laid. Ses oreilles poussaient comme deux gros légumes mous de chaque côté de sa petite tête maigre (qui devenait bien chauve), sa bouche lippue s'obstinait dans un perpétuel sourire (quand il était petit, on l'appelait « Éternel Bonheur ») et son nez bulbeux ressemblait à ces champignons verdâtres friands d'endroits humides qui n'ont jamais vu la lumière du jour. Éclipsés par la disgrâce de ses traits, ses yeux étincelaient, beaux, bleus et bons, et quand je contemplais ce regard plein d'amitié et de rire, je me disais que j'étais heureux de revoir Basile, qu'il était en fait le seul ami véritable que je possédais. En tout cas, c'était sûrement celui qui me connaissait le mieux.

Depuis notre enfance, mes conversations avec Basile avaient toujours été constellées par un code secret : signes de la tête, clins d'œil, grimaces, gestes mystérieux dont nous seuls connaissions la signification. L'utilisation de ce code ne manquait jamais de me replonger dans mon passé, dans de grandes bouffées de jeunesse embuées d'une nostalgie tangible.

Je me revoyais avec Basile, à dix ans, jouant aux billes dans la cour de récréation de l'école ; à quinze ans, en plein âge ingrat (et nous, nous étions plus qu'ingrats), dans ces soirées guindées du seizième arrondissement, où nous n'osions pas inviter les filles à danser tant nous nous sentions boutonneux, maigres d'épaules, imberbes et peu virils. Pour tenter d'avoir une contenance, nous nous efforcions de prendre des poses nonchalantes, cigarette américaine au bec, en observant d'un regard qui se voulait blasé toute cette jeunesse dorée qui virevoltait devant nous. Les plus jolies filles, inatteignables trésors, entourées d'un bataillon de soupirants en pâmoison, distribuaient par-ci, par-là des sourires, des baisers, des rires légers, et ne posaient jamais leurs regards de femmes fatales en herbe sur nous.

Nous n'avions pas plus de succès avec les boudins, les rachots, les grands chevaux, les cageots, les pots-à-tabac, qui faisaient tapisserie, seules dans leur coin, bras croisés, et qui ne nous regardaient pas non plus de peur d'être invitées à danser par l'un de nous. Il valait mieux être seule et digne que d'être la cavalière d'un des garçons les plus moches de la pièce. Dur apprentissage de la vie.

Ce fut à une de ces soirées, quelques années plus tard, que Basile m'annonça qu'il n'était plus vierge. Il avait dix-huit ans.

— C'était horrible, me dit-il à voix basse, en fermant les yeux.

— Pourquoi ?

J'avais gardé un souvenir assez agréable de ma première expérience précoce avec la fille de la concierge.

— Un cauchemar. Je crois que je ne recommencerai jamais.

— Mais pourquoi ?

— Je ne sais comment t'expliquer… Je ne savais pas que… Enfin, que…

— Mais que quoi ?

Il dit très vite :

— Je n'aime pas être dans une femme. Voilà.

— Comment ça ?

— Enfin, tu me comprends… Je n'aime pas être dans le… le truc d'une femme.

— Dans sa chatte, tu veux dire ?

— Ne parle pas si fort ! Y a la mère qui nous regarde.

— Pourquoi tu n'aimes pas être dedans ?

Il fit une grimace de dégoût.

— Elle était bien pourtant, la fille. Une amie de ma sœur. Jolie, beaux nichons, quoi.

— Et alors ?

— C'était tout mouillé, humide et chaud. Je trouve ça dégueulasse, un sexe de femme.

— Tu es complètement fou, mon pauvre vieux. Tu n'as rien compris. C'est justement ça qui est bien, le fait que ce soit mouillé, humide et chaud.

— Je ne te crois pas. Je suis sûr que toi non plus tu n'aimes pas cela, et comme tout le monde tu fais semblant.

— Et, elle, elle a aimé ça ?

— Oh ! j'en sais rien, tu sais, les bonnes femmes… En tout cas, plus jamais pour moi, merci.

— Tu verras, ça sera mieux la prochaine fois.

Tout à coup il prit mon bras.

— Je viens de penser à quelque chose d'épouvantable ! Peut-être que je suis pédé !

— Je ne suis jamais tombé sur la femme de ma vie, me dit Basile, durant notre dîner, avec une pointe d'amertume. Ni sexuellement ni intellectuellement. Ça n'a jamais collé. J'aurais peut-être dû devenir pédé, le concubin comblé d'un gros macho viril.

— Ne dis pas de bêtises !

Il me regarda de plus près.

— Cela dit, toi non plus.

— Moi quoi ?

— Tu n'as jamais rencontré la femme de ta vie.

— C'est vrai…

— Et sexuellement ?

— Sexuellement ? Je réfléchis : Il y a eu des bons moments, ou plutôt des bons coups. Mais cela ne dure jamais très longtemps les bons coups. Les vraies salopes, ça part toujours voir ailleurs.

— Je ne parle pas de salopes, fit Basile.

— Je n'ai connu que des salopes ou des prudes.

— En somme, j'avais raison, ça n'a jamais collé pour toi non plus, même au lit.

— Non. Jamais.

Nous mangeâmes en silence.

— Quel âge as-tu, maintenant ? me demanda-t-il.

— Tu le sais très bien, nous avons trois mois de différence.

— Ah ! oui, lança-t-il d'un ton presque désespéré.

Puis il me fixa avec un mélange de dérision et d'inquiétude.

— Tu crois qu'on a raté nos vies, toi et moi ?

— Pourquoi dis-tu cela ?

— Parce qu'on n'a rien fait. Enfin rien d'extraordinaire, de hors du commun. Tu te rappelles, quand on était petits, toi tu voulais être président de la République et moi astrophysicien.

— C'est des trucs de gosses.

— Peut-être. Mais regarde ce qu'on en fait, de notre vie. Toi, tu as foutu en l'air ton mariage, et moi, je n'ai pas été foutu de me marier. On a des boulots de merde, de petits fonctionnaires. On ne s'intéresse à rien. On a tout laissé passer.

— Moi, j'ai ma fille.

— Ah ! oui, j'oubliais, ta *fille* ! (Rictus ironique.) Mais à part Camille, tu as quoi ? Et un jour, elle va se marier, ta *fille* ! Elle va partir. Elle aura des enfants.

Tu seras un grand-père sans grand-mère, et ça t'apportera quoi ?

— Beaucoup, dis-je, sur la défensive. Mais au fond de moi-même, je savais qu'il avait raison. Ses propos avaient trouvé un douloureux écho en moi.

— Tu vois quelqu'un en ce moment ?

— Une femme ?

— Je veux dire, tu as une maîtresse ?

— Non. Je n'en ai pas eu depuis le divorce.

— Ça ne t'intéresse plus, le sexe ?

— Je n'y pense pas. Et toi ?

Il sourit.

— J'y pense trop. Et je n'ai personne.

— Tu as eu raison de quitter cette femme. Elle était moche et bête.

— Oui, mais elle était là. Je n'avais pas un lit glacial et vide comme maintenant.

Nous nous tûmes pendant quelques instants. Puis il ajouta :

— Je trouve qu'on parle beaucoup, ce soir. D'habitude, on rit, on s'amuse, on s'esclaffe. Ce soir on déprime comme deux vieux cons.

— On vieillit, dis-je.

— Ah ! ça oui, on vieillit.

Il m'observa. Je sentais ses yeux bleus se promener sur mon visage comme un rayon de soleil chaud et amical.

— Je trouve que tu as changé depuis la dernière fois que je t'ai vu, reprit-il. Je suis sûr qu'il y a une bonne femme là-dessous et que tu ne veux pas me le dire.

Je le regardai avec un certain sourire.

— Qu'est-ce qui te fait croire ça ?

— Tu n'as plus la même tête. Avant tu avais un regard buté, un peu brut, qui allait avec ton menton carré. Maintenant tu sembles bien plus réservé, plus observateur, plus fin.

— Tu me flattes.

— Qui est cette femme ?

Je souris encore, puis je lui dis d'une voix très calme :

— Elle s'appelle Adrienne Duval.

À la fin du récit, sans avoir omis un seul détail, je me tus.

Il me regardait d'un air incrédule.

Nous étions maintenant les derniers clients de la petite brasserie.

Puis il dit lourdement :

— Tu me racontes n'importe quoi.

Je crus qu'il blaguait, mais son visage avait l'air tout à fait sérieux. Même son éternel sourire avait disparu. Ses yeux, qui me dévisageaient froidement, semblaient avoir perdu toute leur chaleur ensoleillée.

— Non. C'est la vérité.

— Ce n'est pas possible.

— Je te le jure sur la tête de Camille.

— Mais ce n'est pas possible, je te dis. C'est n'importe quoi, ton histoire ! C'est une histoire de fou ! Tu es complètement fou !

108

— Je ne suis pas fou.

— Alors tu te drogues.

— Tu sais bien que non.

— Alors tu bois.

— Enfin Basile !

— Mais tu ne vas pas me faire gober un truc pareil !

— Camille me croit, elle.

— Vraiment ? Peut-être fait-elle semblant parce qu'elle a pitié de toi, que depuis le divorce tu es tout seul dans ton coin et que ça lui fait de la peine. Tu es son père, elle te respecte. Elle ne doit pas vouloir te contrarier, alors elle fait semblant de te croire.

Je commençais à perdre mon calme, et surtout à regretter de lui avoir tout dit.

— Écoute, Basile, tu me connais depuis combien de temps ?

— Quarante ans.

— Tu me connais bien ?

— Comme si je t'avais tricoté.

— Alors, crois-tu vraiment que je me serais donné la peine de te faire croire à cette histoire insensée juste pour voir la tête que tu allais faire ? Juste pour voir ta réaction, parce que cela m'amusait ?

— Ce n'est pas ça qui m'inquiète, remarqua-t-il. Ce qui me tracasse, c'est que tu as l'air de croire dur comme fer à ce que tu me racontes.

— Mais bien sûr que j'y crois, puisque c'est vrai ! Tout ce que je t'ai dit est vrai !

Il frappa la table de poing, faisant sursauter un serveur qui passait avec un plateau.

— Non, ce n'est pas possible. Cela ne peut pas exister. Cela n'existe pas. Tu as rêvé, trop bu, tout imaginé, ou alors tu es dingue.

— Je te répète, pour la dernière fois et avant que je m'énerve sérieusement, que je ne suis pas dingue et que je t'ai dit la vérité.

Il me regardait avec froideur ; moi je le fixais avec hargne, les dents serrées.

Nous terminâmes notre repas dans un silence total puis dehors, nous nous dîmes brièvement au revoir avec un ton détaché.

Je le regardai partir vers le métro Duroc, petite silhouette noiraude avec ses grosses oreilles nettement dessinées sur chaque côté de sa tête, comme des antennes d'extraterrestre.

Malgré ma fureur, j'étais accablé, car je sentais que je venais de perdre mon meilleur ami.

Je reçus un mot de lui quelques jours plus tard.

« Ne t'en fais pas, je ne dirai rien à personne de ton histoire. Mais je pense sincèrement que tu es malade et que tu devrais te faire soigner. J'ai rencontré ton ex-femme dans la rue ce matin. Elle m'a dit que depuis que tu as déménagé, tu ne tournes pas rond, que tu n'es plus toi-même. Il faut que tu te reprennes, avant qu'il soit trop tard. Fais-moi signe quand cela ira mieux.

Amitiés,
Basile. »

Tristement, je jetai la lettre à la poubelle.

Oui, j'avais perdu un ami.

Oui, j'avais mal.

Mais rien, même pas la perte de l'amitié de Basile ne me ferait désormais renoncer à la chasse à l'Adrienne Duval.

6

Une idée lui vint, et il se demanda pourquoi il n'y avait pas pensé auparavant. À croire que la torpeur d'avant le dîner avec Basile (dont l'incrédulité blessante l'avait mis dans une rage noire) avait tout endormi à l'intérieur de sa tête.

Il contacta son gérant afin d'obtenir l'adresse du promoteur qui avait dirigé la vente et la démolition du vieil immeuble de brique. Dès qu'il eut les coordonnées de la société, il s'adressa à elle pour retrouver le nom du propriétaire.

Cela fut plus long que prévu.

On lui expliqua qu'il était fastidieux de rechercher des dossiers dans les archives, que personne n'avait le temps, mais il resta patient.

Après quelques semaines, et beaucoup d'attente au téléphone, il lui fut enfin communiqué.

Il s'agissait d'un certain M. Koening, qui demeurait à Bussy-le-Repos, près de Sens. Il lui téléphona, on lui répondit que M. Koening était mort depuis quelques années. Qui était à l'appareil ? Le mari de sa fille, Roland Gapine. Avait-il par hasard en sa possession les documents concernant la vente de l'immeuble de la rue de l'Université ? On ne savait pas, mais on le rappellerait.

Il passa encore une semaine à attendre.

Il se disait qu'il allait sûrement devoir apprendre à beaucoup attendre, depuis qu'Adrienne Duval était entrée dans sa vie.

Puis, une Mme Gapine lui téléphona au bureau. Il comprit que c'était la fille. Quand elle lui demanda pourquoi il désirait avoir des informations sur les occupants de l'immeuble de son père, il éprouva une légère inhibition, comme un petit flottement.

Puis il s'appropria l'excellente idée de Camille et expliqua qu'il écrivait la biographie d'une cantatrice qui, d'après ce qu'il savait, avait habité là. Peut-être l'avait-elle connue ? Elle s'appelait Adrienne Duval. Mme Gapine répondit que non, qu'elle n'aimait pas du tout l'opéra, qu'elle n'avait jamais habité l'immeuble de son père parce que ses parents étaient divorcés, qu'elle avait toujours vécu avec sa mère, mais qu'elle le recevrait à déjeuner le mardi suivant, à Bussy-le-Repos. Ainsi aurait-il tout le loisir d'étudier longuement le dossier de la vente de l'immeuble Koening.

Il accepta son invitation, puis raconta à son patron qu'il avait une affaire familiale importante à régler en province, qu'il ne pourrait donc pas être là de la journée.

Lorsqu'il fit part de sa conversation à Camille, celle-ci lui répondit :

— Je ne sais pas pourquoi, mais je sens que tu vas te fourrer dans un beau pétrin.

Quand il vit Mme Gapine pour la première fois, il se dit que Camille n'avait pas eu tout à fait tort.

Descendant du taxi qui l'avait amené de la gare, il fut confronté à une créature de rêve ; une superbe femme, élancée, d'une quarantaine d'années avec ce genre de corps qui ne se fait plus, qu'on ne voit que dans les films des années cinquante : des seins imposants en pointe d'obus, une taille de guêpe, des hanches rondes et des jambes fuselées. Son visage en forme de cœur, sa bouche aux lèvres roses et un petit nez pertinent la faisaient paraître plus jeune qu'elle n'était. Une épaisse crinière platine cascadait jusqu'au creux de ses reins.

Elle portait une sorte de tablier noir qui moulait ses formes et tenait dans ses mains gantées un sécateur et des fleurs. En ôtant ses gants, elle alla vers lui avec la même démarche que Marilyn Monroe sur le quai de la gare dans *Certains l'aiment chaud*. Elle avait les yeux aussi noirs qu'un café serré.

— Chéri ! cria-t-elle en se tournant vers la maison. Le monsieur est là !

Puis elle gloussa de rire en mettant sa main aux ongles carmin devant sa bouche.

— Je suis désolée, je ne me souviens plus de votre nom.

Il le lui rappela.

— Ah, oui. Excusez-moi.

— Cela n'a aucune importance, dit-il, encore sous le choc de cette délicieuse apparition champêtre.

Ils se serrèrent la main.

M. Gapine sortit de la maison. C'était un grand gaillard blond et baraqué, aux muscles tendus et saillants sous un T-shirt serré, un beau gosse au regard vide et au sourire niais. Il ne devait pas avoir plus de vingt-cinq ans. Mme Gapine surprit le regard inquisiteur de son visiteur.

— Eh oui, fit-elle en riant, c'est bien mon mari !

Quelque peu gêné, il la suivit dans la maison, n'ayant d'yeux que pour la croupe lascive qui se trémoussait insolemment devant lui.

Sous son pantalon de toile très ajusté, il devina facilement qu'elle ne portait pas de slip.

Durant le déjeuner (qu'il goûta du bout des lèvres tant son émoi devant la maîtresse de maison lui avait coupé l'appétit), il s'efforça de jouer le rôle qu'il s'était créé : celui de biographe féru d'opéra. Ce ne fut pas une performance trop ardue étant donné que Mme Gapine ne s'y connaissait aucunement et que son mari ne s'intéressait qu'à son assiette, dévorant chaque plat avec des déglutissements barbares.

L'invité put aisément se glisser dans son personnage, se façonner cette apparence de l'homme passionné par ses recherches, désireux de faire connaître au monde entier, à travers ses écrits, le talent oublié d'une brillante et jeune diva.

116

Mme Gapine avait particulièrement insisté sur le fait qu'elle était « très jeune » au moment de la mort d'Adrienne Duval.

Il calcula qu'elle devait avoir au moins dix ans au début des années soixante.

Elle ne se souvenait de rien.

— Cherchez bien, dit-il. On peut se rappeler de choses qui vous ont frappé à dix ans.

— C'est vrai, fit M. Gapine la bouche pleine, le fixant de son regard bovin. Moi je me souviens qu'à dix ans j'avais gagné le concours de natation de mon école.

Mme Gapine ignora cette intervention et son mari replongea dans son assiette avec un enthousiasme infatigable.

— C'est difficile, reprit-elle, parce que, voyez-vous, je n'habitais pas avec mon père. Je le voyais très peu. Mes parents ne s'entendaient pas et ma mère ne voulait pas que je le voie. J'en ai beaucoup souffert.

— J'imagine.

Un ange passa.

Elle regarda son annulaire.

— Vous ne portez pas d'alliance. Vous n'êtes pas marié ?

— Je l'ai été. J'ai divorcé, comme tout le monde, comme vos parents. Un couple sur deux divorce à Paris.

— Vous avez des enfants ?

— Une fille, qui vit chez sa mère en semaine, et chez moi les week-ends. Et vous ?

— Non.

Il n'insista pas.

M. Gapine s'endormait devant son assiette enfin vide, repu, le ventre gonflé.

— C'est dur, le divorce, dit Mme Gapine.

— Oui.

— C'est dur pour les parents et pour les enfants.

Il tenta d'orienter la conversation à nouveau vers Adrienne Duval.

— Revenons à notre histoire. Vous aviez dix ans.

— Huit !

— Pardon, huit.

— Mon père me parlait rarement de l'immeuble. Il l'avait hérité de sa mère. Il se plaignait peu de ses locataires. Il me semble que tous ces gens payaient leur loyer en temps voulu. C'étaient de grands appartements, je crois, habités surtout par des familles nombreuses qui y restaient longtemps. Ah, je me souviens d'une chose…

— Oui ?

— Je me souviens d'avoir entendu mon père dire un jour qu'il fallait qu'il reloue un des appartements, parce que quelqu'un était mort.

— Vous ne vous rappelez pas s'il s'agissait d'une femme ?

— Non, je ne m'en souviens pas. Mais je me rappelle que mon père avait l'air soucieux, parce que c'était arrivé très soudainement.

M. Gapine s'excusa et se leva de table.

Mme Gapine tourna alors la tête vers son invité et lui adressa un regard charmeur.

— Ça fait du bien, de voir un Parisien de temps en temps, dit-elle.

Elle passa la pointe de sa petite langue animale sur ses lèvres roses en souriant.

Troublé, il lui rendit son sourire.

Après le déjeuner, il fut installé par Mme Gapine dans un bureau avec un épais dossier bleu débordant de papiers, celui de l'immeuble Koening.

L'énorme paperasse lui fit peur, car il aurait fallu plusieurs jours pour la trier. Néanmoins, il plongea dedans ; il n'avait pas de temps à perdre, son train pour Paris partait dans deux heures.

Quittances de loyer, lettres, correspondances diverses, feuilles de compte, factures de plomberie, de ravalement de façade, de dératisation, d'assainissement des caves, fiches de paie de la concierge, litiges, cela n'en finissait pas. Rien n'avait été classé, daté, rangé. « Un bordel total », aurait dit Camille. Le père Koening n'avait pas été quelqu'un de très ordonné. Tout cela lui donna mal à la tête. Il avait beau chercher, il ne trouva rien portant le nom de Duval ou de Churchward. Il se dit que le dossier n'était peut-être pas complet. Avec le temps, les choses se perdent.

Il remarqua qu'un nom revenait souvent dans ces lettres, quittances et factures : Granché. Cette famille semblait avoir habité l'immeuble pendant des années, et d'après ce qu'il lisait, avait toujours payé son loyer en temps et en heure, comme Mme Gapine le lui avait dit.

Il tomba ensuite sur la correspondance de M. Koening avec le promoteur immobilier, et suivit tous les détails de la vente. Cette transaction avait dû rapporter un joli butin au vieux Koening qui en avait peu profité puisqu'il était mort peu de temps après. Il n'avait donc jamais vu la démolition de son immeuble et la construction du nouveau. Et sa fille, héritière d'un beau paquet, menait maintenant la belle vie dans une paisible gentilhommière de Bourgogne avec un jeune gigolo qui l'avait sûrement épousée pour son argent.

Il trouva un plan de son immeuble et s'amusa devant la représentation de l'appartement témoin. Puis il détailla avec une certaine émotion une photographie de l'ancien immeuble où avait vécu Adrienne Duval.

En consultant sa montre, il vit qu'il était l'heure de partir. Mme Gapine était désolée qu'il n'eût rien trouvé. Dans le train qui le ramenait vers Paris, il ne put s'empêcher de penser à son corps pulpeux. Peut-être lui fallait-il enfin une femme...

Malgré son échec, il n'était pas mécontent de son après-midi. Dans son portefeuille, il avait rangé deux choses, une photo du vieil immeuble offerte par Mme Gapine trop heureuse de contribuer à quelque chose, et une adresse griffonnée sur un morceau de papier :

Granché
42, rue Crozatier
Paris, XIIᵉ.

Mais avant toute chose, avant de retrouver les Granché de la rue Crozatier, il lui fallait une femme.

Un corps de femme, une odeur de femme, une peau de femme.

Une crise insatiable le prit aux tripes, qui résultait sans doute d'une trop longue abstinence.

Voilà que le vieux démon levait la tête, que la Bête se réveillait de son sommeil de cent ans ! Il consulta fébrilement son calepin à la recherche d'un nom disponible, d'une chaleur accueillante, d'un rendez-vous rapide.

Julia ? Il n'avait pas son numéro. Laure ? Elle était tombée amoureuse de son propre mari. Nathalie ? Elle n'était jamais libre. Christiane ? Elle n'aimait pas vraiment ça. Cécilia ? Pourquoi pas ?

Il pianota un numéro.

Une voix d'homme lui répondit. Il raccrocha vivement.

Ces femmes-là avaient toutes été, à un moment ou un autre, des maîtresses du temps de son mariage ; c'étaient elles qu'il allait retrouver l'après-midi, ou le soir, prétextant des déjeuners d'affaires, des réunions tardives à son épouse méfiante.

C'était des bras de ces femmes-là qu'il venait lorsqu'il rentrait tard dans la nuit, boulevard des Batignolles, se glissant à l'intérieur de l'appartement sombre et tranquille où dormaient innocemment sa femme et sa fille, et qu'il croyait entendre son cœur battre comme une grosse caisse tant l'adrénaline accélérait son rythme.

C'était justement cette pulsation qui multipliait, véhiculait son désir d'amours illicites. L'interdit ajoutait un piment indispensable à ces ébats extra-conjugaux. Les ébats en eux-mêmes n'étaient pas plus extraordinaires que d'autres, mais ce qui l'excitait le plus, le leitmotiv de ces liaisons, c'était l'avant et l'après ; les rendez-vous furtifs, les conversations téléphoniques chuchotées, les trois petits coups frappés à une porte d'hôtel, et la femme qui, à toute vitesse, se rhabille après l'amour, en un éclair, remet de l'ordre dans ses cheveux, du rouge sur ses lèvres pour retrouver son aspect de mère de famille parfaite, et file chercher ses enfants à l'école, les joues encore pourpres de plaisir.

Car, pour ajouter encore une once de luxure à ce cocktail capiteux, il n'aimait avoir pour maîtresses que des femmes mariées, des femmes à double vie, celles qui savaient mentir avec un naturel inégalable, celles pour qui l'adultère était un jeu dangereux qu'il fallait interpréter avec une redoutable maîtrise. Il aimait savoir que la femme à qui il faisait l'amour entre cinq et sept allait mentir ce soir-là à son mari.

Après le divorce, libéré des contraintes matrimoniales, les choses de l'amour lui parurent bien fades. Comme le sexe était ennuyeux sans mise en scène, sans danger, sans interdit ! Cela devenait clinique et aseptisé. Quelle idée de passer une nuit entière avec une femme séduite à un dîner sous prétexte qu'il

122

n'avait plus besoin de rentrer dormir dans le lit conjugal ! En perdant son alibi, sa libido s'effrita. Son appareil génital se recroquevilla dans une hibernation consternante. Et le plat pays de la cinquantaine s'étala piteusement devant lui, sans relief, sans surprise et d'une affligeante monotonie.

Puis soudain, avec la violence d'une explosion, les divines hanches rondes de la sulfureuse Mme Gapine et l'exquise indécence de son derrière avaient rallumé en lui un feu oublié, faisant follement bondir son sexe comme un diable à ressort qui ne veut plus rentrer dans sa boîte. Images bestiales donnant immédiatement naissance à une envie irrésistible, tel le jeune garçon qui, regardant en cachette et pour la première fois les photos d'un magazine pornographique, ressent une subite faim sexuelle alors qu'il ne connaît pas encore la signification du mot « jouir ».

Son sexe lui semblait lourd et chargé d'électricité, une trompe turgescente en état d'alerte, flairant sans relâche la moindre occasion, se dressant au moindre espoir. Allait-il passer sa journée à tenter de dompter ces affolantes érections qui, perfides et pavloviennes, se manifestaient dès qu'il regardait une jolie paire de jambes dans la rue, de fesses ondulantes dans un jean serré, ou des seins prometteurs sous un corsage échancré ?

Grisé par les assauts spontanés de son anatomie ressuscitée, il eut du mal à se concentrer une fois arrivé à son bureau. Impossible de se pencher sur un dossier alors qu'on rêve de s'incliner sur un corps de femme, de se consacrer à l'étude d'un rapport alors qu'on aspire à étudier le grain satiné de l'épiderme féminin, de boire les paroles d'un supérieur pédant tandis qu'on songe à se soûler d'un parfum de femme.

Il se surprit à lorgner la silhouette trapue et courte sur pattes de la comptable venue lui remettre sa fiche de paie, ce qui ne lui était jamais arrivé, l'imagina en train de faire l'amour, se tortillant de plaisir sous des coups de butoir forcenés, pensée qui lui arracha malgré lui un gloussement sot. Partagée entre l'hilarité et ce désir de rut, sa journée traîna, interminable.

Enfin il rentra chez lui, angoissé par la perspective d'une soirée solitaire. Il prit l'ascenseur, déprimé à l'idée de se confronter à l'appartement vide.

Alors qu'il parvenait à son étage, il se demanda s'il n'allait pas devoir rendre visite à ces dames fardées qui attendent des messieurs à toute heure de la journée et de la nuit. Il ne l'avait jamais fait de sa vie, ayant toujours eu une femme sous la main. Peut-être le moment était-il venu d'acheter désormais sa ration d'amour, comme on achète cinq cents grammes de viande chez le boucher. Mais il n'arrivait pas à s'imaginer devant une péripatéticienne désabusée qui empocherait son billet en écartant des jambes blasées et pour qui il ne serait que la vingtième passe de la soirée, une capote usagée de plus dans la poubelle sous le lavabo.

Tout à coup, il se rendit compte que quelqu'un l'attendait devant son appartement.

Il reconnut instantanément le lourd parfum animal de la séductrice.

— Bonsoir, dit Mme Gapine. Je passais par là.

Elle portait une veste rose, une jupe noire très courte qui dévoilait de longues cuisses félines et des escarpins noirs aux talons vertigineux.

— Votre mari est avec vous ?

— Non, dit-elle.

— Voulez-vous entrer quelques instants ? proposa-t-il, très calme, mais le bas-ventre déjà au garde-à-vous.

— Avec joie, lança-t-elle. Et avant de la précéder, elle le regarda droit dans les yeux, sortant la pointe de sa langue d'entre ses lèvres couleur coquelicot.

Elle s'appelait Iris.

À l'intérieur de sa cuisse très blanche, presque à l'entrejambe, se trouvait un grain de beauté en forme de cœur.

Une clef farfouilla dans la serrure, la porte s'entrouvrit, Camille fit irruption dans la pièce.

Elle fit quelques pas, ôta son manteau, posa son sac puis se figea. Ses petites narines palpitèrent.

— Papa ! s'écria-t-elle.

— Oui ? répondit-il de la salle de bains.

— Ça sent la femme chez toi.

Il sortit, un peu rouge.

— Ah, bon ? marmonna-t-il.

— Qui était-ce ? Elle a un parfum tenace, dis donc. On ne sent que ça ici. Pauvre Adrienne, elle n'a pas dû apprécier.

Il sourit et l'embrassa.

— Tu ne m'as pas répondu. Qui était-ce ?

— Une dame.

— Je l'avais compris, merci. Réponds-moi.

— Tu es bien curieuse, ma petite.

— Et toi bien rouge. Alors ?

— Oh ! la fille du gérant de l'ancien immeuble, celle que je suis allée voir à la campagne.

— Pourquoi est-elle venue te voir ?

— Elle se trouvait à Paris, et elle passait par là. Elle voulait voir le nouvel immeuble, elle ne le connaissait pas.

— Elle est venue avec son mari ?

— Non, il travaillait. Il n'était pas là.

— Alors, elle est venue te rendre une petite visite, c'est ça ?

— Oui, oui, c'est ça.

— Elle est jolie ? Avec un parfum pareil, ça ne peut pas être un boudin.

— Elle est assez jolie, dit-il prudemment.

— Quel âge ?

— La quarantaine.

— Blonde ou brune ?

— Tu es de la police, ou quoi ? Qu'est-ce que c'est que ce harcèlement ? On dirait ta mère.

— Je m'intéresse tout simplement à la vie de mon cher père.

— Tu parles ! Tu es d'une curiosité effroyable.

Elle l'observa, en ricanant.

— Tu m'as l'air un peu fatigué. Tu es pâle et tes yeux sont cernés.

126

— Pas du tout. C'est ce que tu imagines.

— Je te l'avais bien dit, hein, que tu allais te fourrer dans un beau pétrin ?

Il pensa à la bouche brûlante d'Iris Gapine, à sa petite langue rose et pointue.

Il ne put s'empêcher de rire avec gaillardise :

— Tu avais bien raison, ma fille, c'est un beau pétrin, un très beau pétrin !

Il envoya une lettre claire et concise à « Monsieur ou Madame Granché, rue Crozatier ».

Il s'attendait à devoir attendre longtemps, ou à voir sa missive lui être retournée, tamponnée par un slogan catégorique : « parti sans laisser d'adresse » ou « décédé ».

Mais, à sa grande surprise, deux jours plus tard, un docteur Granché lui téléphona à son bureau. Il avait cette voix abrupte, pressée et un peu sèche des médecins.

— Vous voulez écrire la vie de Mme Churchward ?

— Oui, c'est cela.

— Alors je suppose que vous voulez me voir.

— J'en serais ravi, si toutefois vous pouvez me parler d'elle.

Le docteur eut un rire sec et grinçant.

— Je vous garantis que je peux vous parler d'elle. Je l'ai vue mourir. C'est moi qui ai signé son acte de décès.

C'était un gynécologue d'une soixantaine d'années, peut-être un peu plus, le visage mangé par d'épaisses lunettes qui magnifiaient ses yeux clairs.

Il le reçut dans son cabinet, rue Saint-Antoine.

— D'abord, il faut que vous sachiez que Mme Churchward était de nature dépressive. Je veux dire par là qu'elle avait une fragilité mentale, fragilité infime, mais présente. Un rien l'angoissait et la mettait dans des états affreux. C'est pour cela, à mon avis, qu'elle n'aurait jamais pu réussir son métier, si elle avait vécu. C'était une femme d'une sensibilité à fleur de peau, merveilleusement douée, nous le savons, mais déséquilibrée.

— Et son mari ? Il ne l'aidait pas à surmonter ce tempérament délicat ?

— Son mari ? Vous voulez rire. Churchward était le comble de l'égoïsme. Vous savez, ce mariage était un désastre. Dites-le dans votre livre. Vous pouvez dire aussi, en toute vérité, que c'est ce salopard d'Amerloque qui a tué sa femme.

— Comment ça ?

— J'y viens. Enfin, il ne l'a pas assassinée de ses propres mains. Ce n'est pas un meurtrier. Je m'explique, soyez patient, l'histoire est longue. Il était beaucoup plus âgé qu'elle. C'était un grand type immense, sinistre, parlant peu le français, méprisant la France. Il avait beaucoup d'argent. Peut-être a-t-elle été impressionnée par toute cette fortune ? Ils se sont mariés alors qu'elle venait à peine de débuter, je crois. Un couple tout à fait étrange. Elle avait vingt-six ans quand ils sont arrivés rue de l'Université. Ils avaient l'appartement au-dessus du mien et, chaque jour, venait un professeur de chant. Je l'entendais à travers les murs. Elle travaillait très dur, elle voulait à tout prix réussir. Son mari se désintéressait complètement de sa carrière. Pour lui, ce n'était pas sérieux de chanter.

Il se tut, les yeux vagues.

Puis il reprit.

— Je la soignais, voyez-vous. Elle avait eu une grossesse difficile pour sa fille, que j'ai mise au monde, à sept mois. Il y a trente ans, la néonatalogie n'était pas ce qu'elle est aujourd'hui. C'est un miracle que la petite ait vécu. Elle pesait à peine deux kilos à la naissance. Moi je n'y croyais pas, j'étais sûr que le bébé allait mourir. Churchward aussi, en bon pessimiste qu'il était. De toute façon, il voulait un garçon, alors cela lui était égal que le bébé meure. Et puis la petite s'est accrochée à la vie, a grossi, pris des couleurs, grandi. Mais, après son premier anniversaire, cela s'est compliqué entre les parents. Mme Churchward ne voulait plus d'enfants. Elle désirait se consacrer entièrement au chant, et travailla sa voix avec un acharnement que vous n'imaginez pas.

— Si, fit-il, se souvenant d'Adrienne qui frappait le clavier de ses poings.

— Et puis il y eut ce récital de Mozart dans une salle parisienne.

— Salle G. ?

— Oui, exactement. Nous y étions, avec ma femme et ma fille aînée. Ce fut un triomphe. Elle était tout simplement extraordinaire.

— Et puis ?

— Elle devait signer des contrats importants après ce succès. Tout le monde la voulait, se l'arrachait. Alors son mari commença à la détruire.

— La détruire ?

— Le mot vous choque ? C'était pourtant cela. Il voulait un fils, je vous l'ai dit, un héritier. Il désirait un autre enfant. Il ne souhaitait que cela, cela l'obsédait, et il fallait à tout prix qu'elle arrête de chanter pour lui pondre son Churchward junior. Puis, avec ma femme, nous avons commencé à entendre des cris, des coups, des pleurs…

— Il la battait ?

— Oui, entre autres choses. Un soir, nous avons appelé la police car elle criait si fort que tout l'immeuble était dans l'escalier. On entendait la voix monotone de son mari, une horrible voix faussement douce qui devait lui dire les pires injures. Mais personne ne comprenait l'anglais.

— Et alors ?

— La police est venue et Mme Churchward a ouvert la porte, avec un œil au beurre noir et une blessure au front. Elle leur a dit avec calme qu'elle était tombée, mais que tout allait bien. Ils sont partis. J'ai essayé, à ce moment-là, de comprendre ce qui se passait. Elle pleurait, ne voulait rien me dire. Alors j'ai tenté de parler à cette brute d'Américain.

Il m'a cassé la figure. Il s'exprimait mal en français, mais son uppercut était parfaitement explicite. Alors, que voulez-vous, je n'ai plus insisté, et j'ai laissé les Churchward à leurs sombres histoires en espérant toutefois que la petite fille serait épargnée.

Il se tut à nouveau, une grimace sur les lèvres.

— Peu de temps après, elle vint me voir, désespérée. Elle n'avait plus de voix, et c'était insupportable de la voir chuchoter, elle qui avait une des plus belles voix que j'aie jamais entendues. Sa voix s'était brisée, à force de pleurer. Elle était enceinte. Dieu seul sait comment cet enfant a été conçu et quels tourments cette femme a dû endurer. Elle me supplia de l'avorter. Elle ne voulait pas de cet enfant, sa carrière passait avant tout. À cette époque, rappelez-vous, l'avortement était illégal. Mais enfin, on avait des adresses à l'étranger… on se débrouillait, voyez-vous. Et devant sa détresse, j'étais prêt à tout. Mais après l'avoir examinée, je constatai qu'elle était au moins dans la fin de son quatrième mois de grossesse et qu'il était donc impossible de pratiquer un avortement sans danger pour elle. Je ne comprenais pas pourquoi elle n'était pas venue me voir plus tôt. Elle sanglota en me disant qu'elle ne s'était pas rendu compte tout de suite de son état. C'était beaucoup trop tard.

Le docteur croisa les mains, les plia sous son menton. Son regard était las. Il semblait avoir vieilli depuis le début de son discours.

131

— Elle eut alors une crise de nerfs dont je vous passe les détails. Je dus lui administrer une piqûre pour tenter de la calmer. Ce fut très éprouvant.

— Et alors ?

— Et alors… Que voulez-vous ? Elle fit la pire des bêtises que toute femme tente dans ce cas-là. Elle essaya par tous les moyens de se débarrasser de cet enfant. Son mari vint me chercher à quatre heures du matin. Elle avait commencé une fausse couche et souffrait terriblement. Je n'ai pas pu arrêter l'hémorragie, ni empêcher l'enfant de naître. Dieu sait que j'ai vu des bébés mort-nés dans ma vie, mais celui-là me fendit le cœur comme si c'était la première fois. Il m'a tant ému, ce pauvre fœtus inachevé, que je n'ai même pas pensé à regarder si c'était un garçon ou une fille. De toute façon, quelle importance ! Le père Churchward, lui, il me le demanda, après. J'ai menti en disant que l'enfant était trop petit pour que cela se voie. Et il m'a fichu la paix. Mais il n'y avait plus rien à faire pour sa femme. Elle mourait. Et je n'ai pu qu'assister, impuissant, à cette mort inutile. Elle avait trente ans.

— Et après, que s'est-il passé ?

— Churchward s'occupa de toutes les formalités de l'enterrement. Il n'avait pas l'air éprouvé. Puis il quitta très vite Paris, avec la petite, qui avait alors deux ans et demi. Ils sont partis pour New York et je ne les ai plus jamais revus. Le mois suivant, de nouveaux locataires occupèrent l'appartement. C'est une bien triste histoire.

— Et la petite fille ? Savez-vous ce qu'elle est devenue ?

— Je n'en sais rien. Elle est à moitié américaine, après tout. Elle a dû faire sa vie là-bas, fonder une famille, avoir des enfants. J'espère que son père a été meilleur avec elle qu'avec sa mère.

— Comment s'appelait-elle ?

— La petite ? Elle avait un prénom insensé, attendez que j'y réfléchisse…

— Savez-vous comment je pourrais retrouver cette demoiselle Churchward ? Vous souvenez-vous d'une adresse ? Son témoignage serait capital pour mon livre.

— En effet. Mais tout cela remonte à très loin, vous savez. Je me souviens parfaitement des scènes que je vous ai racontées, mais après, cela m'échappe.

Il plissa le front.

— Je ne me souviens pas d'une adresse. Mais je vais y penser. Je vous appellerai dès que possible. Il faudrait que vous m'envoyiez votre bouquin quand vous l'aurez publié.

— Il faudrait d'abord que je retrouve cette jeune femme.

— Vous avez encore du pain sur la planche, je crois.

— Je le crois aussi.

Il l'accompagna jusqu'à la porte d'entrée.

— Bonne chance, dit-il en lui serrant la main.

Il descendit la rue Saint-Antoine vers la rue de Rivoli. Cinq minutes après, quelqu'un tapa sur son

épaule. Il se retourna et vit le docteur Granché essouf-
flé, s'appuyant sur un mur pour reprendre sa respiration.

— Mince, vous marchez vite, fit-il, le visage cra-
moisi.

— Je suis confus, je ne me doutais pas que vous
vouliez me rattraper.

Le docteur s'épongea le front avec son mouchoir.

— Cela m'apprendra de vouloir jouer les jeunes
hommes à mon âge. C'était juste pour vous dire que je
me suis souvenu du nom de la petite.

Il souffla longuement et bruyamment.

— Voilà, ça va mieux. Elle s'appelait Pamina.
Comme dans *La Flûte enchantée*.

7

Bien sûr, c'était une idée folle. J'imaginais déjà la tête de mon entourage. Mais l'idée ne me quittait plus, je n'en parlais point, et j'y pensais continuellement, la laissant prendre de la force, comme une souple tige verte qui pousse contre un tuteur et devient un jour un arbre.

Ce fut le docteur Granché qui, sans le savoir, me décida à suivre cette idée jusqu'au bout.

Il me téléphona quelques jours après notre entrevue.

— J'ai réfléchi à votre question concernant l'adresse de Churchward à New York.

— Oui ?

— Je me rappelle certaines choses qui vont peut-être vous aider, on ne sait jamais. Je me souviens qu'après la mort de sa femme, il m'avait dit qu'il voulait que sa fille fût éduquée aux États-Unis. Comme sa mère avait quitté ce monde, la petite, selon lui, n'avait donc plus rien à faire à Paris. Connaissez-vous New York ?

— Pas du tout.

— Moi non plus. Mais voici ce qui peut vous mettre sur la piste de la petite : il m'a parlé du Operisaïde, à New York.

Son accent devait être aussi effroyable que le mien.

— Cela veut dire quoi, d'après vous ? Une avenue ? Le nom d'une maison ?

— Qui sait ? Peut-être s'agit-il d'un endroit particulier de New York. Il se peut aussi qu'il ait dit tout autre chose. Mais comme je m'en suis souvenu, j'ai préféré vous appeler. En tout cas, il avait l'air de vouloir me faire comprendre que c'était un endroit très élégant.

— Croyez-vous que ce M. Churchward soit encore en vie ?

— J'en doute, mais on ne sait jamais avec ces Américains. Ils mangent des trucs si bizarres, rajoutent des vitamines partout. Ils seront bientôt capables de vivre un siècle. S'il est encore en vie, il ne doit pas avoir loin de... Il calcula rapidement : Quatre-vingt-quinze ans. Tout est possible.

— Que faisait-il dans la vie ?

— Je ne l'ai jamais vraiment su. C'était plutôt louche. Il se disait agent de change, mais il devait avoir des combines. Il avait beaucoup d'argent.

— Pourriez-vous me dire son prénom ?

— Je crois qu'il s'appelait John.

Je remerciai le docteur pour ces précieuses informations, puis je passai un coup de téléphone à Camille pour lui dire de venir dîner le lendemain soir.

Je voulais lui faire part au plus vite de mon plan.

Camille arriva un peu en retard avec le dessert.

J'attendis d'être à table pour entrer dans le vif du sujet, et qu'elle ait la bouche pleine pour ne pas m'interrompre.

— Camille, j'ai quelque chose de très important à te dire. Je vais partir à la recherche de la fille d'Adrienne Duval. Elle s'appelle Pamina Churchward et elle vit à New York. Ne me regarde pas comme ça et ferme ta bouche quand tu manges. Ne me demande pas non plus pourquoi j'y vais, je serais incapable de te répondre. Il le faut, et c'est tout. J'en ai déjà parlé à mon patron. Je lui ai expliqué que je travaillais sur un projet personnel qui me tenait à cœur et qu'il me fallait quelques mois. Il a été très compréhensif. Je serai remplacé pendant cette période par un collègue. Donc de ce côté-là, pas de problème.

Je m'interrompis, m'attendant à des cris, une répartie fulgurante, une scène, mais elle ne bougeait pas, sa fourchette suspendue à mi-chemin entre son assiette et sa bouche ouverte, les yeux écarquillés. Profitant de sa stupéfaction, je continuai :

— Je vais sous-louer cet appartement au maximum de sa valeur, puisque je ne toucherai plus de salaire pendant quelques mois. J'ai déjà quelqu'un d'intéressé, un diplomate américain : il a répondu à une annonce que j'avais mise à l'église américaine de la rue Jean-Nicot et m'a donné, en plus, une adresse où je pourrais éventuellement vivre à New York. Dès que j'aurai tout réglé avec lui, je partirai. La version officielle, celle que nous donnerons à tout le monde et en particulier à ta mère (même si elle n'en croit pas un mot), c'est que j'écris la biographie d'Adrienne Duval, et que je dois donc contacter sa fille, son seul enfant, afin d'obtenir toutes les informations possibles. Mais la version officieuse, tu t'en doutes bien, c'est que je veux avoir le cœur net sur cette vision. Je veux comprendre pourquoi j'ai vu ce que j'ai vu, et en parlant avec Pamina Churchward, si je la retrouve, il y aura peut-être un déclic, une réponse à ma question.

Camille ne disait toujours rien. Elle avait posé sa fourchette.

— Camille, je ne serai pas tranquille, pas au repos, pas heureux tant que je n'aurai pas compris cette histoire.

Elle parla enfin.

— Maman m'avait bien dit que tu étais fou.

— Tu le penses aussi ?

— Honnêtement, je ne sais pas quoi penser. Je ne t'ai jamais vu comme cela, aussi déterminé, aussi préoccupé.

— Tu me comprends ? Tu comprends pourquoi je veux partir ?

— Je comprends, mais je trouve que tu vas trop loin. Tu ne peux pas laisser tomber ton boulot, ta vie ici pour courir à l'autre bout du monde après cette femme. Tu sais tout ce qu'il faut savoir sur Adrienne Duval. Pourquoi aller plus loin ?

138

Qu'est-ce que cela peut t'apporter ? Pourquoi se donner tant de mal pour un résultat qui, peut-être, te décevra ? Tu ne la retrouveras jamais, ta Pamina ! C'est grand, New York. C'est loin. Et tu ne connais rien de cet endroit. Tu n'as jamais voyagé. Tu détestes les voyages !

— Il faut que tu saisisses que j'ai envie de vivre cette histoire à fond, d'en profiter pleinement, même si je reviens bredouille. Tu disais toi-même qu'il m'était arrivé quelque chose d'extraordinaire. J'ai l'impression de ne plus être tout à fait comme avant. Je n'ai plus ton âge, mais j'ai envie de prendre les risques qu'on prend quand on a dix-huit ans et peur de rien. Tu penses que je suis fou. Je suis sûrement un peu fou, depuis le début de cette histoire. Si je ne pars pas à la recherche de cette femme, je le regretterai toute ma vie.

— Et si tu ne la trouves pas ?

— Tant pis. Mais j'aurai vécu, j'aurai appris, j'aurai vu d'autres gens et d'autres choses.

Elle se leva pour aller chercher le dessert. Nous le mangeâmes en silence.

Puis je lançai la seconde bombe :

— Est-ce que tu peux venir avec moi ?

— Quoi ?

— Tu as bien entendu.

— Moi, partir avec toi à New York pour retrouver ta Pamina ?

— C'est cela.

— Mais pourquoi ?

— C'est très simple. Tu sais bien que je parle très mal anglais. Tu seras ma traductrice et mon guide. Comment veux-tu que je retrouve une New-Yorkaise à New York sans parler anglais ?

— Papa, tu débloques. Tu ne te rends pas compte de ce que tu dis !

— Oh ! si, parfaitement.

— Mais qu'est-ce qu'on va dire à maman ?

— Tu trouveras bien. Et cela sera mieux accepté venant de ta part que de la mienne.

— Et à Pierre ?

— Que tu l'aimeras autant là-bas qu'ici et que tu reviendras vite.

— Et ma licence ?

— Tu mettras ton anglais en pratique.

— Mais moi je ne parle pas américain ! Je suis une élève de Shakespeare, moi ! Je ne connais rien de ce pays, je n'ai jamais lu Fitzgerald, Whitman ou Poe ! Je ne connais que l'Angleterre. Cela n'a rien à voir. Et puis New York c'est un endroit horrible, c'est connu. On tue des gens à chaque coin de rue et il y a plein de clochards partout. Et si tu t'aventures dans le *subway*, tu n'en sors pas vivant ! Ah ! ça non, je ne viens pas avec toi. Trouve-toi une autre poire, mon vieux.

— Tu vas vraiment me laisser partir seul ?

Silence total.

— Regarde, j'ai même ton billet.

Je le lui tendis.

Sur le billet figurait un dessin représentant la statue de la Liberté.

Alors les yeux de Camille devinrent brillants, rêveurs et flous, tournés malgré elle vers l'ouest.

Elle dégusta le reste de son dessert, silencieuse et songeuse, tandis qu'une multitude de pensées flottaient au-dessus de nos têtes.

Cela fait maintenant deux semaines que nous sommes exilés dans la *Big Apple*. Camille s'était décidée très vite. Je n'ai jamais su ce qu'elle avait dit à sa mère, mais le résultat fut que, le lendemain, elle était prête à partir.

Nous habitons ce qu'on appelle ici un loft, une sorte d'immense hangar rempli de courants d'air et doté d'une salle de bains et d'une cuisine pratiquement inexistantes où vivent les cafards les plus énormes que nous ayons jamais vus de notre vie. On nous a précisé que les cafards new-yorkais sont les plus tenaces et les plus costauds du monde. En contemplant leur épaisse carapace foncée, plus sombre que celle de leurs frères européens, et la vitesse avec laquelle ils se déplacent, je n'ai aucun mal à le croire. Toujours est-il qu'on ne peut pas s'en débarrasser. Il faut apprendre à vivre avec.

Les habitants de cette ville si laide et résolument magique font, eux aussi, comme les cafards, partie d'une race méconnue. Grouillant parmi ces *blocks* géométriques dans un incessant mouvement de couleurs, marchant vite, le menton haut, le regard fixe comme des soldats, se bousculant à l'angle des rues, ils ont un air déterminé, pressé et dur que les Parisiens ignorent.

Afin d'aller plus vite encore, la femme d'affaires new-yorkaise chausse des tennis sur ses collants et porte ses escarpins dans un sac en plastique. L'effet est pour moi des plus laids. Quel triste spectacle que de contempler ces jeunes femmes bien mises dans leurs tailleurs élégants, les pieds plats et désolants dans leurs tennis souillés ! On aurait de la peine à imaginer une Parisienne dans une pareille tenue. Cette dernière, mondialement connue pour sa coquetterie et se voulant désirable même lorsqu'elle va acheter son pain, préfère subir mille souffrances en se perchant sur des échasses de dix centimètres (ce qui allonge la jambe et cambre joliment le pied), que d'être vue affublée d'une confortable mais hideuse paire de baskets, qui casse la ligne de la jambe en tassant lourdement le mollet.

Notre loft se situe dans un quartier nommé Tribeca, ce qui signifie : Triangle Below Canal Street, autrement dit le triangle sous Canal Street. Notre voisin de palier, un étudiant loufoque qui répond au nom de Wayne, s'est donné la peine de nous expliquer quelques généralités sur sa ville. D'après son discours, nous avions vite compris, Camille et moi que, malgré les courants d'air et les cafards, la vétusté de la cuisine et de la salle de bains, Tribeca semblait être l'un des endroits les plus branchés de la ville. « *Very hip* », nous dit-il. Au début de l'année, nous expliqua-t-il, c'était *hip* d'habiter dans le Village, un an auparavant, il fallait demeurer à Soho, puis avant cela, dans le West Side, et il paraissait même, selon les experts capables de flairer les modes à venir, qu'Alphabet City, malgré sa sordide réputation de violence, de trafic de drogue et de dépravation, allait devenir l'endroit le plus convoité de Manhattan.

— Et le Bronx ? demanda Camille. Cela va devenir *hip*, le Bronx ?

— Ah, non ça je ne crois pas, jamais, fit Wayne, de son français hésitant.

— Et le Operisaïde ? dis-je.

— Le *what* ?

— Le quoi ? reprit Camille.

— Il me semble que c'est un endroit chic à New York, dis-je, un peu vague.

— Vous voulez peut-être dire le Upper East Side ?

— C'est très chic ?

— C'est ce qu'il y a de plus chic ici. C'est là où vivent les gens qui ont de l'argent et cela a toujours été ainsi… *Big money*, vous voyez ?

— Où est-ce ?

— C'est le carré qui se situe en haut, à droite de Manhattan, entre la Cinquième Avenue et la Première Avenue et à partir de la Cinquante-Neuvième Rue jusqu'à la Quatre-Vingt-Sixième Rue. Il y a des gens qui espèrent toute leur vie habiter là. C'est dans ce quartier qu'on trouve les plus beaux appartements de New York, et les plus chers : les *penthouse*, les duplex, les triplex de huit cents mètres carrés, avec des escaliers en marbre, des colonnes gothiques, des terrasses à la vue imprenable sur Central Park. Ce n'est pas un quartier à la mode, comme ici. C'est plus que ça. C'est la classe, c'est le luxe, c'est l'argent. Depuis toujours.

C'était donc là où avait grandi Pamina Churchward, à l'ombre d'une richesse ostentatoire ; la fillette sérieuse s'était certainement transformée en héritière gâtée et capricieuse, n'ayant que le très lointain souvenir d'un immeuble parisien désuet et d'une mère aux traits flous qui jouait furieusement sur un grand piano noir.

Camille ne parlait pas la même langue que ces New-Yorkais pressés. Ils parlaient du nez, elle de la bouche et de la langue, comme les Anglais. Elle détesta d'emblée cet accent nasillard et perçant. J'observais avec intérêt le remarquable contraste entre sa *stiff upper lip* oxfordienne et ces syllabes enrhumées et traînantes, ponctuées d'un chuintement de chewing-gum. Camille, en parlant anglais, bougeait à peine les lèvres, les New-Yorkais contorsionnaient les leurs avec des mouvements presque impudiques tant ils dévoilaient de dents et de gencives.

Au début de notre séjour, Camille bouda beaucoup. Elle se disait attristée par le nombre des sans-abris, répugnée par la saleté de la ville, sa laideur, son bruit, son odeur de *hot dogs* grillés mêlée à celle

144

de gaz d'échappement, sa faune bariolée et sauvage. Un jour elle se vit refuser l'accès d'un bus parce qu'elle n'avait pas la monnaie exacte pour acheter son ticket. À la vue de son billet, le conducteur avait hurlé : « *ONE DOLLAR IN EXACT CHANGE PLEASE !* » Et comme elle n'avait pas de petites pièces, elle fut obligée de descendre et de rentrer à pied, tremblante de fureur.

Mais au fur et à mesure que le temps passait, elle apprit à s'habituer à la ville, et perdit son côté guindé d'Anglaise de souche, méprisante du Nouveau Continent. Elle apprécia la gentillesse presque trop exagérée des New-Yorkais qui, malgré la première impression de brusquerie, se pliaient en quatre pour lui indiquer le chemin du Metropolitan Museum ou de l'Empire State Building.

Les New-Yorkais semblaient tout de suite comprendre qu'elle venait de l'Europe, de la France, de cette Ville lumière qui n'a jamais cessé de les faire rêver. Dès qu'ils en avaient confirmation, c'était l'extase. Camille incarnait pour eux la Parisienne type, avec ses jambes fines, sa moue à la Bardot, ses yeux de braise et son élégance *so typically french*, qui faisait qu'elle portait son Levis avec un style unique et inimitable.

Pendant que ma fille créait des émeutes chez Bloomingdales, suivie par une meute de jeunes New-Yorkais, tous prêts à se jeter du haut du World Trade Center pour ses beaux yeux, je lorgnais la gent féminine de cette fascinante cité. Au risque de passer pour chauvin, je dirais que les New-Yorkaises sont jolies, mais qu'elles n'égalent pas les Parisiennes...

Trop maquillées, les cheveux si permanentés et brillants qu'on aurait dit des perruques, leur artifice faisait qu'elles ressemblaient à ces poupées mannequins en plastique aux longues jambes que Camille collectionnait à douze ans. Toutes possédaient un même regard dur ; et pas une ne me rendit mes gentils sourires.

Elles n'en avaient pas le temps dans cette ville où, d'après ce que nous avait dit Wayne, la concurrence pour le travail était sanglante, le congé de maternité inexistant, et où l'on pouvait être renvoyé du jour au lendemain de son poste sans préavis.

Peut-être était-ce pour se battre et se défendre que les New-Yorkaises se laissaient tant pousser les ongles et arboraient des griffes rouges et meurtrières. Je me demandais souvent comment ces femmes faisaient pour appuyer sur un bouton, composer un numéro de téléphone, taper sur un clavier ou changer un bébé ?

« Il y a peu de bébés ici », me fit remarquer Camille, lors d'une conversation à propos de ces ongles de cinq centimètres de long.

Et j'ai vite constaté qu'elle avait raison. Les bébés semblaient être *persona non grata* à New York City.

Camille travaillait dans un restaurant français de notre quartier, payée au noir comme tous les étrangers sans carte de travail – ou devrais-je dire *green card* ? – de la ville. Elle y servait le soir, trois fois par semaine et gagnait l'argent de poche que je n'étais plus en mesure de lui donner. Ses pourboires étaient parfois tout à fait généreux.

Restaurant à la mode du moment (selon Wayne, la mode se démodait vite à New York), Le Caprice se voulait très français, avec un décor dans les tons saumon, une carte sans fautes d'orthographe, même pas à « gigotin d'agneau en rognonnade », « parmentière de lotte lardée au saumon fumé » ou « cuisses de grenouilles persillées », et une carte de vins honorable.

La patronne de ce charmant établissement, une juive polonaise prénommée Rebecca (Becky pour les intimes), blonde, ronde avec un sourire fuchsia, parlait un français excellent qui me donnait le mal du pays. J'avais autant de difficulté à interpréter le jargon des natifs de cette île bétonnée que de me faire comprendre par eux. Mes conversations avec Becky relaxaient instantanément mes maxillaires crispés par les efforts linguistiques de la journée. Il ne me fallait plus qu'un petit verre de bordeaux, et j'étais un homme comblé pour le reste de la soirée.

Nous nous rendîmes vite compte que Le Caprice était un des endroits les plus *hip* du moment et Becky, la coqueluche de la saison. On se disputait pour avoir une table chez elle. Du coup, c'était toujours plein, et Camille ne rentrait pas avant deux ou trois heures du matin. Comme j'avais peur qu'elle se fasse attaquer par un *mugger* en mal de chair fraîche en rentrant seule à ces heures tardives, il m'arrivait souvent de dîner au restaurant et d'attendre qu'elle ait terminé son travail. Becky devait trouver que ma présence de vrai Français apportait une note pittoresque à son décor, car elle me faisait rarement payer mes repas. J'étais devenu un indispensable figurant, troquant ce que Becky appelait *a genuine touch of Frenchness* contre un feuilleté léger aux girolles et lapereau rôti au ragoût de morilles.

Comme je dînais seul, j'étais libre de regarder autour de moi et d'assister aux mondaines retrouvailles de la jet-set new-yorkaise, spectacle qui ne manquait jamais de me ravir et dont je profitais pleinement depuis mon mirador situé aux premières loges.

On y voyait maintes dames d'un incertain certain âge, terrifiantes d'ambition et de richesse, croulant sous des masses de bijoux étincelants, au petit nez raboté en forme de prise électrique, les pommettes tirées par de trop fréquents liftings qui faisaient en sorte qu'elles souriaient perpétuellement d'une grimace carnassière où brillaient des dents trop blanches pour être réelles.

On y voyait aussi – avec plus de plaisir – les mannequins les plus célèbres, les *top models*, me précisa Camille, qui les appelait par leurs prénoms. Elles gagnaient plus en une demi-journée de travail que moi en un an. Mais comment leur en vouloir, lorsqu'on contemplait, ébahi et transi, ces jambes de gazelle, ces cous graciles, ces visages aux traits miraculeux ? Elles venaient à plusieurs, toujours vêtues de jeans et de pulls, laissant aux vestiaires des studios de photos,

148

fards, parures et bijoux, sans lesquels elles avaient l'air de gamines du même âge que Camille.

— Celle-là, c'est Hilary, m'informait ma fille, en m'apportant une étuvée de homard aux cèpes. Elle est en couverture de *Chic* ce mois-ci. Et puis, à côté, c'est Rosemary, elle a fait la pub pour la lingerie qu'on voit partout. La rousse est nouvelle, elle s'appelle Katrina, et à côté d'elle il y a Manuela qu'on voit tout le temps à la télé.

Ce harem exquis attirait tous les regards. S'y ajoutaient les habituels pique-assiette incrustateurs et affamés, toujours là comme des poissons pilotes, les playboys cosmopolites, les bellâtres blasés, et les *celebrities* qui « faisaient » la vie de New York : héritières, débutantes, sang bleu, stars, starlettes, sans oublier les tout-puissants magnats de la presse, et les célébrissimes rédactrices de mode (expertes en l'art de nouer un foulard, marier deux couleurs, dénicher une *cover-girl* dans le fin fond de l'Arizona, et découvrir en avant-première le talent d'un nouveau couturier). L'une d'elles louchait vers Camille avec une faim triomphante, ce qui ne me plaisait guère. Elle poussa du coude sa voisine et cria du haut de sa voix rauque :

— *Becky, who's the Frenchie ?*

Et c'est ainsi que j'appris, par la bouche de la patronne, que ma fille, ma Camille, le fruit de mes entrailles, venait d'être remarquée par l'illustre Sharon Gardiner, rédactrice en chef du non moins illustre magazine de mode *Chic*, connu dans le monde entier.

— Elle pense que Camille pourrait faire des photos, me chuchota Becky. Vous vous rendez compte ? Votre fille va être une star ! Ce n'est pas tous les jours qu'on se fait remarquer par Sharon Gardiner en personne.

Des scénarios d'horreur s'échafaudaient devant mes yeux dans un enchaînement infernal : Camille propulsée à la une des magazines, photographes libidineux, traite des blanches, drogue, pornographie, prostitution. Et la tête de mon ex-femme.

— Il n'est pas question que Camille fasse des photos ! rétorquai-je à Becky en postillonnant de rage. Elle n'a même pas dix-neuf ans, et elle a des études à finir à Paris. Dites-lui donc ça, à Mme Machin.

Mais Mme Machin m'ignora superbement, fit venir Camille à sa table et l'ausculta comme on détaille une belle pouliche (dents, crinière, jarret), ou pire, une jolie esclave soumise à la volonté d'un acheteur vicieux qui veut vérifier la bonne qualité de la marchandise (volume des seins, tour de taille, arrondi des hanches, velouté de la peau). Je regardais, impuissant, ma fille se faire palper comme un abricot appétissant. Puis je vis la rédactrice tendre son affreux sourire et sa carte à Camille. Je dus me faire violence pour ne pas faire un esclandre. Après tout, Camille était majeure.

Mais l'épisode avait gâché mon dîner et Becky eut l'air un peu offusquée en constatant que je ne mangeais pas ce qu'il y avait dans mon assiette.

Camille servait comme si de rien était. Elle ne me parla pas de Sharon Gardiner lorsque nous fûmes rentrés au loft.

150

J'eus du mal à m'endormir, et pour la première fois depuis mon arrivée, je dus m'avouer que j'étais angoissé à l'idée de ne pas avoir retrouvé la trace de Pamina Churchward. Mais comment diable m'y prendre dans cette vaste fourmilière ? Jamais je n'aurais cru que cette ville serait aussi peuplée, aussi immense, aussi démesurée.

Qu'elle ait habité le Upper East Side ne m'avançait pas beaucoup. Je n'avais pas trouvé de Churchward qui correspondait à ce quartier-là dans l'annuaire et ceux que j'avais appelés (avec l'aide de Camille) n'avaient jamais entendu parler d'une Pamina dans leur famille. Je n'allais tout de même pas faire du porte-à-porte le long de Park et Madison Avenues pour tenter de soudoyer un *doorman* récalcitrant ?

Alors j'errais, quelque peu désespéré dans cette ville inattendue à l'allure d'un gigantesque échiquier, la tête penchée en arrière afin d'apercevoir les quelques morceaux rassurants de ciel cachés par le hérissement des tours.

Chaque femme blonde aux yeux clairs qui passait dans la rue faisait battre mon cœur plus vite.

La légende new-yorkaise, selon Wayne, dit que tout peut arriver sur un *street-corner*. C'est ainsi que les destins se forment, se croisent, que les fortunes sont faites ou détruites, que l'on peut tout vouloir et désirer parce que tout y est possible. Alors, alléché par ce mythe encourageant, je m'attendais malgré moi à croiser ce perçant regard vert, seul indice qui me permettrait de reconnaître une femme de trente ans d'après le souvenir d'une petite fille.

Plongé dans ces impossibles recherches, je n'avais pas tout de suite remarqué l'attitude étrange de ma fille. Elle ne me regardait plus dans les yeux.

Inquiet, j'en parlai à Becky qui eut le même regard fuyant. Gênée, elle me dit qu'elle ne savait rien. Je trouvai qu'elle mentait mal et me permis de le lui dire. Mais elle haussa les épaules et s'esquiva.

Le lendemain, je décidai de prendre ma fille en filature. Elle partit le matin, très maquillée, soi-disant pour rejoindre une amie française devant Grand Central Station. Au bout d'une bonne demi-heure de marche (Dieu, qu'il est monotone de marcher tout droit en suivant une avenue qui ne bifurque jamais !), elle pénétra dans un grand immeuble de Madison Avenue, au coin de la Quarantième Rue. Un ascenseur l'avala et je la perdis. J'attendis longtemps dans le hall, meurtri par sa trahison car Camille ne m'avait jamais rien caché. Le fait qu'elle fasse cela derrière mon dos me stupéfiait.

Je me trouvais, bien entendu, dans l'antre de cette vampirique Sharon Gardiner.

Je n'avais pas besoin de lunettes pour lire l'énorme enseigne grandiloquente : *CROWN AND FURLOW PUBLICATIONS*, dont faisait partie, entre autres, le magazine prestigieux de Mme Gardiner.

Camille émergea enfin, les yeux pleins d'étoiles. En me voyant, elle porta la main à sa bouche. Elle eut même la grâce de rougir.

152

— Mademoiselle veut devenir *top model* ?

Mon sarcasme la fit grimacer.

— Ce n'est pas du tout ce que tu crois, balbutia-t-elle.

— Alors tu auras la gentillesse de m'éclairer.

— D'accord, mais allons autre part.

Assis l'un en face de l'autre dans un *coffee-shop*, je ne pus m'empêcher de dire à Camille combien ses cachotteries m'avaient blessé.

— C'est quand même honteux que Rebecca soit au courant de ce que tu fais et pas moi, ton père !

Elle soupira.

— Papa, Becky ne sait rien, enfin presque rien. Elle sait que j'ai vu Mrs. Gardiner, et je lui avais dit de ne pas t'en parler. Mais ce n'est pas pour ce que vous croyiez, pas pour des photos.

— Mais alors quoi ? explosai-je. Qu'est-ce que c'est que cette histoire ? Qu'est-ce que tu mijotes ?

— Ne parle pas si fort, tout le monde nous regarde. Effectivement, je suis allée voir Mrs. Gardiner après qu'elle m'ait donné sa carte au restaurant, la semaine dernière.

— Mais pourquoi ?

Camille prit un air contrit.

— Je sais que tu vas trouver cela ridicule, et que tu vas être déçue par moi, mais tant pis. J'ai été flattée, comme n'importe qui, par ce qu'elle m'a dit. Il faut que tu comprennes ça, papa. Je suis une femme, après tout. C'est flatteur de se faire repérer par la rédactrice en chef d'un magazine aussi connu. Cela m'est monté un peu à la tête, c'est vrai. Je me suis dit, pourquoi pas moi ? Tu vois ?

Je ne dis rien.

Vaniteuse. Ma fille était vaniteuse.

Résigné, je me dis qu'après tout on ne pouvait pas être aussi jolie et l'ignorer éternellement. On ne prend pas conscience de sa beauté devant un miroir, mais dans le regard des autres.

— Alors tu vas devenir mannequin ? fis-je avec lassitude.

— Mais non ! Tu n'as rien compris ! D'ailleurs je suis trop petite pour être mannequin. C'est Bill Benton qui me l'a dit.

— Et qui est ce monsieur ?

— Mais enfin papa, c'est le photographe de mode le plus célèbre du monde. Il m'a dit que j'étais jolie, mais trop petite. Regarde, il a fait des tests de moi. Il me les a donnés. C'est gentil, non ?

Elle ouvrit son sac et en sortit quelques planches de contact qu'elle me tendit.

— Très gentil, murmurai-je, incapable de réaliser que la femme captivante que je regardais était ma fille de presque dix-neuf ans.

Je lui rendis ses photos.

— Je ne comprends rien à ton histoire. Pourquoi es-tu allée voir ce monsieur ?

— Je me doutais bien que tu n'y comprendrais rien. C'est une longue histoire, et je veux que tu saches tout d'abord que je n'ai rien voulu te cacher.

— Ah, bon !

154

— Ne prends pas cet air ironique. En fait, je suis un peu triste parce qu'avec ta curiosité tu as bien failli tout gâcher.

— Gâcher quoi ?

— Une surprise que je te préparais.

Ses yeux à nouveau se remplirent d'étoiles.

Elle se pencha vers moi.

— Figure-toi, mon cher papa, que je voulais te faire la surprise de ta vie. Figure-toi que j'ai retrouvé la trace de ta Pamina.

Camille regarda longuement la petite carte.

SHARON ELIZABETH GARDINER
EDITOR IN CHIEF
CHIC MAGAZINE
CROWN & FURLOW PUBLICATIONS
380 MADISON AVENUE N.Y.C
(212) 700 72 70

Dans sa tête, des visions de rêve prenaient forme ;
son visage à la une des journaux, des voyages en
Concorde, un pied-à-terre dans les capitales du monde,
des pluies d'argent, des milliers d'admirateurs, et
d'anciens camarades de classe s'exclamant devant
les kiosques : « Tiens, mais c'est Camille ! », « Moi
j'étais en classe avec elle », « Oui, mais toi elle ne t'a
jamais regardé… » Des défilés de mode dans la Cour
carrée du Louvre, des projecteurs et regards envieux
braqués sur elle aux séances de photos avec les plus

grands photographes et le privilège de porter des vêtements somptueux : tout semblait féerique dans cette profession incomparable aux yeux naïfs d'une jeune fille vaniteuse qui ne connaissait pas l'envers du décor et qui restait persuadée que c'était là un des plus beaux métiers.

Une de ses amies mannequins, pas des plus connues, pas de celles qui font partie de l'illustre *top ten*, aurait pu lui dire que pour l'énorme majorité qui ne perçait jamais, c'était loin d'être paradisiaque et surtout plutôt sordide. Mais Camille ne se doutait pas de ces *go and see* qui n'aboutissaient souvent à rien, qui ressemblaient à l'inspection sévère du bétail envoyé à l'abattoir, d'où l'on repartait, penaude et découragée, *book* sous le bras, écrasée parce qu'une rédactrice venimeuse avait lancé : « Non, pas celle-là, elle a un gros cul », ou « les seins qui tombent », ou « des yeux trop petits », ou « le cheveu plat »…

La vaniteuse Camille, qui s'examinait sous tous les angles dans la minuscule salle de bains en se trouvant tout à coup si belle, s'était maintenant décidée à appeler Mrs. Gardiner, intimement persuadée d'être le *top model* de la décennie.

Pourquoi pas elle, après tout ?

Profitant d'une absence de son père, parti flâner au hasard des rues comme à son habitude, elle se rua sur le téléphone. Elle s'attendait à se heurter à un barrage de secrétaires agressives mais, à sa grande surprise, dès qu'elle eut prononcé son nom, on lui passa l'assistante personnelle de la grande dame qui lui fixa un rendez-vous pour le lendemain matin.

C'est ainsi qu'elle se trouva, vingt-quatre heures plus tard, dans le grand bureau clair de la rédactrice en chef, une boule de nervosité au fond du ventre. Pourtant Mrs. Gardiner se montra gentille, détendue et complimenta la jeune fille sur son *perfect english*. Puis elle lui parla longuement du métier de mannequin, de ses pièges et difficultés.

Camille l'écouta dans une sorte de rêve. L'assistante de Mrs. Gardiner lui prit alors des rendez-vous avec deux personnes, le photographe Bill Benton et Betsy Khan, directrice de la plus célèbre agence de mannequins de Manhattan. Grisée, Camille les nota sur son agenda. Elle rentra à Tribeca, rose d'excitation.

Le lendemain, elle partit rencontrer Betsy Khan. Là, ce fut une autre histoire. Dans la salle d'attente, une trentaine de filles toutes plus jolies les unes que les autres attendaient, fébriles, s'épiant du coin de l'œil, se comparant subrepticement. L'atmosphère tendue ébranla la confiance de Camille. Du haut de son mètre soixante-douze, elle se sentit naine à côté de deux géantes au style californien, bronzées, blondes aux yeux bleus dont les jambes interminables semblaient naître sous leurs aisselles.

Elle se trouva enfin sous le regard cruellement blasé de Mrs. Khan. Celle-ci la regarda de haut en bas en silence, un mètre et une balance dans un œil, un objectif dans l'autre, puis décrocha son téléphone pour appeler Mrs. Gardiner.

— Bonjour *sweet-heart*, comment vas-tu ? J'ai ta *Frenchie* devant moi. Elle est jolie, certes. Intéressante. Mais pas assez *special*. En tout cas, pas assez pour moi.

Une fois dehors, achevée, Camille se traîna jusqu'à un téléphone. Dès qu'elle fut en ligne avec Mrs. Gardiner, elle lui dit que ce n'était pas la peine qu'elle voie Bill Benton. Mais la rédactrice se récria. Ce n'était pas la première fois que Betsy Khan et elle avaient des avis différents sur une fille. Ce n'était pas pour cela qu'il fallait que Camille se décourage aussi vite.

Camille n'annula donc pas son rendez-vous et se rendit au studio de Bill Benton le lendemain. Le monsieur en question avait une quarantaine d'années, un catogan et un regard vif et aiguisé. Pendu au téléphone, il ne daigna pas lui dire bonjour. Elle fut accueillie par un de ses nombreux assistants qui lui donna une tasse de café. Puis on l'abandonna sur un tabouret.

Fascinée, elle regardait alentour, contempla les photos épinglées sur les murs où l'on voyait les plus belles femmes du monde capturées et immortalisées par le célèbre objectif de Benton. Ce dernier termina enfin sa conversation téléphonique puis vint vers elle, entouré de sa nuée d'assistants. Tous l'examinèrent et elle baissa les yeux, impressionnée.

Suivant les directives du photographe, une maquilleuse la prit en charge. Émerveillée, elle vit son visage se transformer, superbe chrysalide sophistiquée émanant des traits encore enfantins d'une jeune fille. Penchée vers le miroir qui lui renvoyait cette somptueuse image, tel Narcisse s'admirant dans les eaux, ses yeux rencontrèrent le regard triomphant de Mrs. Gardiner.

— Je suis venue voir ma protégée, dit la rédactrice avec son terrifiant sourire. Je ne tiens pas à ce qu'on me l'abîme.

Suivit une séance épuisante sous des spots si puissants que Camille eut l'impression qu'ils lui brûlaient la peau. Hypnotisée par l'objectif, elle tenta de paraître la plus naturelle possible. Benton l'encouragea, la guida. Et Sharon Gardiner suivait ce manège avec un sourire satisfait.

— Elle est trop petite, dit finalement Benton, en faisant signe à Camille d'aller s'asseoir.

— Et alors ? lança Mrs. Gardiner. Tu vois bien qu'elle a un visage sublime, des proportions parfaites ?

— Je sais, je vois. L'ossature est bien aussi. Regarde le Polaroid. Ça se tient. Ça marche. Mais il lui manque cinq bons centimètres.

Camille écoutait ces deux titans de la mode, courbés sur les planches de contact apportées par d'obséquieux assistants.

— Qu'importent cinq centimètres, Bill, quand on a ce visage-là ?

— Sharon, je sais ce que tu vois en elle. Tu vois le côté européen. C'est pour ça qu'elle t'intéresse, cette petite. Mais on n'en voudra pas avec sa taille. Tu le sais aussi bien que moi.

— Je ne suis pas d'accord, Bill. On n'a pas vu une fille comme elle depuis longtemps. On voit tout de suite qu'elle n'a rien d'américain, qu'elle est infiniment parisienne. Elle n'a rien du look *girl next door*, qui commence à nous ennuyer sérieusement. Il est temps de passer à autre chose. Et voilà notre occasion de le faire.

— C'est vrai qu'elle a un certain style. Je vois ce que tu veux dire.

Assise dans son coin, son lourd maquillage lui démangeant le visage, Camille n'avait qu'une envie, s'enfuir. Les deux parlaient d'elle comme si elle était absente. Les poings crispés, elle se demandait combien de temps elle allait pouvoir rester là à jouer la femme invisible.

— Betsy n'en a pas voulu, disait Mrs. Gardiner. Son refrain habituel, pas assez *special*.

Benton haussa les épaules en scrutant d'autres planches avec un compte-fils.

— Elle dit toujours ça.

— À qui le dis-tu ! Il faut que l'on joue à fond cette carte européenne, parisienne. Il faut lui inventer un nom à rallonge, un fiancé prince ou baron, tu vois le genre ? On lui fera couper les cheveux, bien sûr.

— Oui, bien sûr.

— Puis elle devra maigrir un peu, non ?

162

— Certainement.

Camille bouillonnait de rage.

Ils continuèrent de plus belle.

— Ça peut marcher, dit Benton.

— Tu le sais aussi bien que moi. Cela fait quarante ans que je suis dans ce métier.

— Oh ! tu mérites la légion d'honneur, ma chérie, tout le monde le sait !

Rires.

— Le nombre de filles que j'ai pu repérer comme ça, dans la rue, dans des restaurants, n'importe où, et qui – boum ! – explosent.

— Betsy est vraiment idiote de ne pas en vouloir.

— C'était comme ça pour Tanya, tu t'en souviens ? Elle a craché dessus. Et regarde le parcours de Tanya. Elle n'a pas dû apprécier, la vieille chouette !

Nouveaux rires.

— Elle le regrettera, dit Benton.

Camille, ayant trouvé du démaquillant, se nettoyait le visage minutieusement. Elle ne les entendait presque plus. Envolés, ses rêves de mannequin. Dégoûtée par ce qu'elle entendait, elle voulait tout oublier. Ses traits enfin nets et propres, elle attendit en toussotant plus ou moins poliment qu'on reprenne conscience de son existence. En vain.

— J'aimerais bien que ça marche du tonnerre de Dieu, ricanait Mrs. Gardiner. Rien que pour voir la tête de la mère Khan. Elle commence à nous pomper avec ses grands airs. C'est tout de même exaspérant que les meilleures filles viennent de chez elle.

— Insupportable.

— Il faudrait que cela change. Comment tu t'entends avec elle, toi ?

Haussement prudent d'épaules.

— Oh ! tu sais, moi… Elle sait que je prends les meilleures photos de ses filles.

— Et les plus chères.

— Il faut bien gagner sa vie, hein, ma chérie ?

Camille décida d'intervenir ici.

— Je n'ai pas de quoi vous payer, dit-elle froidement au photographe. Je ne gagne pas des millions, moi.

On la regarda comme si elle était une créature d'origine extragalactique. Les assistants se figèrent, glacés.

Sharon Gardiner éclata d'un rire léger.

— Mais vous n'allez rien payer du tout, *sugar-pie*. Mr. Benton gagne assez bien sa vie comme cela.

Bill Benton eut un sourire un peu jaune.

— Tu m'envoies les tests demain ? lui demanda Mrs. Gardiner. Mets aussi ce que je te dois. A moins que tu veuilles une avance pour le prochain *shoot* à Paris avec Linda et Isabella ?

— On verra, marmonna Benton. Qui est la styliste, d'ailleurs ? Je ne veux plus de Jane, la dernière fois à Rome, elle m'a tout foutu en l'air. Il me faut n'importe qui sauf elle. Enfin pas Tracy, non plus.

— Ne t'inquiète pas, on s'en occupe, fit sèchement Mrs. Gardiner.

164

— Et mets-moi au Crillon, j'en ai assez du Ritz. Leurs sandwiches au concombre sont immangeables. Et comme assistant, je veux Fifi, ou personne, c'est le seul qui sache bosser à Paris et qui connaisse les bons labos.

— C'est ça, c'est ça, tu verras ça avec Eleanor, comme d'habitude.

— Oui, mais je te le dis à toi, parce que sinon personne ne fera rien, comme d'habitude. Et je ne ferai pas du bon travail. Et tu n'auras pas les photos que tu veux. Et tu ne seras pas contente.

Mrs. Gardiner soupira.

— Mon Dieu ! Vous êtes vraiment des divas, vous autres les photographes. Cela devient impossible de travailler avec vous.

— Ma chérie, c'est toi qui veux mes photos, c'est donc à toi de te plier à mes volontés, c'est toi qui me dis que je suis le seul photographe capable de faire ce que tu désires. Je ne l'ai pas inventé.

— Oui, et je commence à le regretter. Tu es le meilleur, Bill, mais aussi le plus chiant. Il n'y a pas d'autre mot.

Profitant de cette querelle de travail, Camille tenta de s'esquiver discrètement, mais Sharon Gardiner l'aperçut avant qu'elle ait pu franchir la porte du studio.

— Hep, *sugar-pie* ! Où partez-vous comme ça ?

— Eh bien ! je rentre chez moi, dit Camille posément.

— Comment ça, vous rentrez chez vous ?

— J'ai cru comprendre que de toute façon j'étais trop petite.

— Ça alors, tu as vu ça, Bill ?

— Incroyable !

— Cette petite allait me glisser entre les doigts sans laisser son adresse, je n'en reviens pas.

— Elle a failli te faire un coup à la Pamina.

— Que Dieu nous garde !

— Pamina ? s'exclama faiblement Camille. Vous avez bien dit Pamina ?

— Tout à fait, fit Mrs. Gardiner. Pamina était une jeune fille promise à la gloire qui s'est envolée sans laisser de trace. C'était très mal élevé de sa part, n'est-ce pas, Bill ?

— Et comment ! Surtout que cela démarrait fort pour elle. Elle avait tout pour réussir, tout marchait bien et puis un jour – ppffuit – disparue. *Goodbye*, Pamina. Personne n'a apprécié son départ précipité.

— Je ne l'ai toujours pas digéré, dit amèrement Mrs. Gardiner en fixant Camille d'un regard d'ogresse possessive.

— Excusez-moi, reprit Camille d'une voix blanche. Pamina comment ?

— Pamina Churchward, bien entendu, l'héritière la plus adulée de la côte Est. Ah ! si jamais je la retrouve celle-là, je l'étripe !

Camille réalisa tout à coup qu'elle avait très chaud, faim et qu'elle tenait mal sur ses jambes. Un grand trou noir vint à sa rencontre et elle ne put que s'y laisser tomber.

Elle mit d'abord les choses au clair avec Bill Benton et Mrs. Gardiner : il n'était pas question qu'elle devienne mannequin. Tous deux insistèrent en lui promettant une carrière brillante.

— Merci beaucoup, mais non merci.

— Soit, grommela Sharon Gardiner, mécontente tant il était rare qu'une fille refuse ses propositions dorées, mais je pense que vous le regretterez.

— Je ne le pense pas, dit Camille.

— Si jamais vous changez d'avis… appelez-moi.

Puis, tout à fait remise de cet évanouissement qui avait effrayé son entourage, elle osa révéler que Pamina Churchward était la fille d'une amie d'enfance de son père ; c'était pour cette raison qu'ils étaient venus à New York, dans l'espoir de la retrouver.

— C'est inouï, fit Mrs. Gardiner, oubliant sa mauvaise humeur.

— C'est invraisemblable, tonitrua Bill Benton, ahuri.

— C'est New York, reprit Camille.

Elle obtint de Mrs. Gardiner la permission de venir consulter les archives de *Chic* afin de retrouver les numéros sur lesquels Pamina Churchward apparaissait en couverture. Cela datait d'une dizaine d'années et, depuis ce jour-là, on n'avait plus reçu de nouvelles de la demoiselle Churchward.

Dans la limousine privée de la rédactrice qui les ramenait à Madison Avenue, Sharon Gardiner raconta l'histoire de Pamina Churchward, ou du moins ce qu'elle en savait.

Pamina Churchward, dix-huit ans et des poussières, avait été repérée depuis un moment par l'œil toujours à l'affût de Sharon Gardiner, pour qui une jolie silhouette, un beau visage représentaient une aventure, un pari. Cela l'amusait de « lancer » des filles. Et souvent, grâce à son flair infaillible et à son instinct judicieux, la fille réussissait, devenait une *top*, ce qui rapportait de l'argent à tout le monde.

Sa plus grande victoire était peut-être la découverte de Verity Sandström, jeune collégienne d'origine suédoise aperçue à une sortie d'école dans le Maine. Qui aurait cru que derrière les yeux lapis-lazuli rieurs, ce visage de gamine, ce corps maigrichon d'adolescente se cachait l'un des plus grands mannequins de la décennie ? Il avait suffi de la photographier et de contempler ce que cette jeune fille savait faire, d'un regard, d'un sourire, à un objectif. Dans le métier, on appelait cela *star-quality*.

Pamina Churchward l'avait, cette graine de star. Mais elle n'était pas un mannequin comme un autre. Elle n'avait rien à voir avec ces paysannes débraillées aux ongles sales débarquées d'Oklahoma ou d'Arkansas à qui il fallait tout expliquer et tout apprendre en plus du métier.

Pamina possédait l'indispensable et rare *beauty, brains and breeding*, le trio magique qui faisait qu'une débutante d'un même millésime était nettement supérieure à une autre.

Belle, Pamina Churchward l'était, sans l'ombre d'un doute. Intelligente, aussi : on ne voyait que cela dans cet énigmatique regard vert, plus ensorcelant et calculateur que celui de Scarlett O'Hara.

Quant à son illustre pedigree, qui oserait le contester ? Fille unique du richissime John Patrick Churchward, cocktail raffiné franco-américain, Miss Churchward était véritablement un des plus beaux partis de la côte Est.

Son père le pensait également. Personne n'était assez bien pour sa fille, sauf, peut-être, quelque prince héritier anglais. Et en attendant que celui-ci se manifeste, il montait une garde sévère autour de sa progéniture et faisait fuir les plus entreprenants. La future héritière ne sortait pas du champ de mire paternel. On s'habituait à voir cette belle fille blonde flanquée de l'inévitable vieillard à la chevelure blanche, marchant derrière elle de son pas traînant.

Il mourut avant d'avoir pu la marier, et Pamina, délivrée de son austère chaperon, se jeta corps et âme dans une vie mondaine et, murmura-t-on, débauchée.

« Mannequin ? *Why not ?* » dit-elle gaiement à Sharon Gardiner lorsque cette dernière put enfin lui mettre le grappin dessus lors d'une soirée.

Pamina Churchward devint alors ce *top model* météore qui brilla intensément dans la voie lactée du *super-model business.*

Elle disparut, du jour au lendemain, sans laisser de trace, alors qu'elle avait quatre spots publicitaires à tourner, deux couvertures à faire et trois séances de photos pour d'importants magazines. Selon la rumeur, elle avait rencontré l'homme de sa vie, un Européen, et s'en était allée vivre avec lui de l'autre côté de l'Atlantique.

Et New York, la plus égoïste, la plus superficielle des villes oublia vite sa favorite, car il y en avait à ramasser à la pelle, des jolies héritières W.A.S.P. du Upper East Side.

Le matin où son père l'avait suivie, Camille s'était plongée dans les archives de *Chic* et, comme par hasard, les numéros qu'elle cherchait n'y figuraient pas. Selon l'archiviste, cela voulait dire qu'ils se trouvaient sur le bureau du président des éditions Crown and Furlow qui consultait souvent d'anciens numéros. Il faudrait attendre une petite semaine pour les récupérer. Ce qui lui semblait interminable. Alors, pour se consoler, elle alla trouver l'assistante personnelle de Mrs. Gardiner, la souriante Eleanor, afin d'obtenir la dernière adresse connue de Pamina Churchward à New York. Ce fut l'affaire de quelques minutes :

960 Fifth Avenue.

Se demandant comment elle allait bien vivre les sept jours d'attente, elle s'engouffra dans l'ascenseur. C'est alors qu'elle tomba nez à nez avec son père.

— C'est inouï ! dit son père.
— C'est invraisemblable ! dit Camille.
— C'est New York ! reprirent-ils en chœur.

Ils se trouvaient dans la ville la plus extraordinaire du monde. Chantant à tue-tête, ils rentrèrent à Tribeca pour faire la fête.

> *I wanna be a part of it*
> *In ol' New York !*
> *If I can make it here*
> *I'll make it any where*
> *It's up to you*
> *New York, New York !*

Le lendemain, ils allèrent en pèlerinage visiter le 960 de la Cinquième Avenue, un immeuble des années trente, imposant et luxueux qui se trouvait au coin de la Soixante-Seizième Rue, à deux pas de la Frick's Collection, exactement le genre de construction que leur avait décrit Wayne. Devant l'entrée, un *door-man* dédaigneux les regarda méchammant. Camille lui fit son numéro et il ne résista pas longtemps, son visage se dégela, il daigna même sourire. Alors elle se tourna vers son père avec un regard de victoire.

— Il dit qu'il a bien connu Pamina Churchward. Il est *doorman* ici depuis vingt ans. L'année prochaine il prend sa retraite.

Elle continua son interrogatoire faussement innocent :

— Je lui ai dit que tu connaissais bien la mère de Pamina, lui chuchota-t-elle à voix basse.

Il regardait cet homme parler.

Comme il devait s'ennuyer, ce pauvre vieux, à faire le guet devant cette majestueuse entrée truffée d'alarmes, planté sous un auvent bleu roi, à répéter d'interminables courbettes devant les va-et-vient incessants de tous ces locataires multimilliardaires ; sans compter le nombre de fois où il devait appeler l'ascenseur : combien de fois avait-il appuyé son doigt ganté sur le bouton *UP* ou le bouton *DOWN*, avec ce sourire automatique et un murmure sur la température extérieure du jour ? Malgré tout, il avait l'air heureux, ce concierge de luxe, si fier de côtoyer les familles les plus argentées de la ville et satisfait de passer le plus clair de son temps sur le macadam de la Cinquième Avenue, à jouer les mouches du coche, héler les taxis, ouvrir et fermer la porte d'une limousine où s'engouffrait, avec un luxueux mouvement de vison lustré et une bouffée de *Joy*, une de ces grandes dames en quête de shopping chez Sak's Fifth Avenue.

Oui, il se souvenait bien de Pamina Churchward. Mr. Churchward, son père, était très sévère avec elle. Quand elle était petite, vers cinq ou six ans, il la grondait parce qu'elle faisait des galipettes sur l'épais tapis rouge de l'entrée.

— Dans quel appartement habitaient-ils ? demanda Camille. Il indiqua celui qui se trouvait derrière eux. Un triplex avec vue sur Central Park.

Un peu émus, ils lorgnèrent l'épaisse double porte qui se trouvait à gauche de l'ascenseur.

— Et qui habite là maintenant ?

— Après la mort de Mr. Churchward, Miss Pamina n'est pas restée longtemps ici. Elle est partie vivre en Europe. L'appartement a été vendu et une autre famille y habite depuis huit ans.

Comme par enchantement, la porte qu'ils fixaient toujours de leur regard rêveur s'ouvrit, et un couple distingué en sortit. S'ensuivit un échange de salutations polies avec le *doorman*.

— Ce sont eux, fit ce dernier, en ne révélant pas leur nom, preuve de son irréfutable professionnalisme.

Puis il ajouta, dès que le couple disparut dans une limousine noire :

— Vous savez, quand Mr. Churchward est mort, Miss Pamina était comme libérée. Elle donna ici des fêtes extraordinaires. On y voyait tous ses amis mannequins. C'était quelque chose, croyez-moi. Puis un jour, elle est venue me voir. Elle m'a dit que j'étais le meilleur *doorman* qui soit, bien mieux que mes collègues Freddy ou Bob. Ça m'a fait plaisir, vous savez. Elle m'a donné de l'argent. Puis elle m'a annoncé qu'elle allait partir se marier en Europe. Elle m'a dit : « Andy, je ne vous oublierai jamais. » Elle m'a embrassé sur la joue. Et elle est partie. Je ne l'ai plus jamais revue, mais je pense souvent à elle. Elle a eu raison de partir, elle avait vingt ans, après tout. Mais voyez-vous, depuis son départ, ici, c'est bien triste. Il n'y a, fit-il à voix basse, que des personnes âgées. Elle était un peu le rayon de soleil du 960 Fifth Avenue.

En regardant pour la première fois les photos de Pamina Churchward, il saisit deux choses. Mais avant de comprendre quoi que ce soit, en contemplant le regard vert et fixe qui l'avait tant marqué, et qu'il n'avait jamais pu oublier, il ressentit un choc brutal.

La voilà enfin, cette Pamina, petite fille devenue femme, avec un visage ovale et un grand front haut de Madone, cheveux pâles et pommettes saillantes. Une bouche large, sensuelle, rose et ourlée, un nez fin et racé ; et des yeux qui le bouleversaient, pareils à ceux de la vision, un regard douloureusement perçant qui fouillait au plus profond de lui, un regard impudent et direct duquel il ne pouvait se détacher.

En premier, il prit conscience que la fille était bien plus belle que la mère. Adrienne paraissait tout juste jolie ; Pamina, magnifique. Elles n'avaient rien en commun, à part cet ovale du visage et des sourcils en accent circonflexe. Étrangement, même si Pamina présentait un visage aux traits plus spectaculaires, on regrettait qu'elle ne possédât pas plus de la douceur si charmante de sa mère, qui, malgré son aspect plus ordinaire, offrait davantage de tendresse et de féminité.

Pamina semblait avoir hérité plus de dureté Churchward que de douceur Duval, ce qui ne l'empêchait pas d'afficher une beauté glaciale et insolente, difficilement oubliable.

Une deuxième chose s'insinua en lui sans qu'il s'en rendît tout de suite compte.

Camille le regardait dévorer les photos des yeux. Elle s'attendait à une exclamation, des remerciements, des rires de joie. Mais il ne disait rien, planté devant le magazine, presque ridicule, bouche bée. Dix minutes plus tard, il n'avait toujours pas prononcé un mot.

— Hé, le papa ? On est toujours là ? On fait un signe de vie à sa fi-fille adorée ?

Le papa muet ne pouvait détacher ses yeux des photos.

— Qu'est-ce qui t'arrive ? Tu as une drôle de tête, pouffa-t-elle de rire. Tu ne vas tout de même pas tomber dans les pommes ! Je rêve !

Il la regarda enfin.

— Ce n'est pas drôle, dit-il d'une voix sépulcrale.

— Mais quoi ? Qu'est-ce que tu as ? Oui, elle est belle, ta Pamina, mais on va pas en faire tout un plat !

— Elle est… Elle est…

Le mot juste ne venait pas.

— Papa, si tu te voyais, tu es ridicule ! À ton âge ! Tomber amoureux d'une photo ! Tu te prends pour qui, le prince Tamino ? Si maman te voyait…

Plongé dans la contemplation d'une nouvelle photo, il ne l'écoutait plus.

Alors, par-dessus son épaule, elle regarda, elle aussi, cette femme vêtue d'une robe de haute couture incrustée de pierres précieuses, un sourire fugace aux lèvres qui ne parvenait pas à adoucir la dureté de silex des yeux verts. Elle vit son père s'émerveiller, béat, devant l'attache fine des poignets, les longs doigts blancs, le bout irisé des ongles.

Exaspérée, elle le laissa, perdu dans la ferveur de son admiration, et s'en alla retrouver Wayne.

Quand elle revint, quelques heures plus tard, il scrutait encore les photos. Elle comprit alors, avec un sentiment d'effroi, que son père était tombé amoureux pour la première fois de sa vie, mais d'une image et non d'une femme, comme ces adolescents fiévreux et extasiés qui décident de vouer leur existence entière à une star du cinéma ou à une déesse du papier glacé.

Oui, il était amoureux de Pamina Churchward.

Impossible, dit-elle. On ne pouvait pas tomber amoureux d'une photo.

Si, c'était possible, et sa vie avait enfin un sens.

Il se trompait.

Pas du tout. C'était, selon lui, l'explication de la vision.

Il se trompait.

Il aimait Pamina Churchward.

176

Il avait tort. Et puis elle en avait assez de cette histoire, de cette ville, de ce pays. Elle désirait rentrer et rapidement.

Il voulait qu'elle reste encore un peu.

Pas question. Départ imminent. Ras-le-bol. Elle avait fait tout ce qui était en son pouvoir pour retrouver la Pamina. Elle s'était d'ailleurs assez bien débrouillée, non ? Il était temps qu'elle rentre à Paris. Tant pis s'il n'était pas d'accord. Cela avait été drôle, jusqu'ici. Plus maintenant. Le voir gâteux devant les photos la rendait malade. Et puis, il n'y avait pas pensé, mais peut-être qu'elle avait pris un sacré coup de vieux, la Pamina ! Les photos avaient dix ans, après tout ! Ce n'était sans doute plus une frêle jeune fille de vingt ans, mais une mémère costaud avec marmaille et mari ! Il y avait pensé à ça, le papa ?

Non, il n'y avait pas pensé.

Ah !

De toute façon, cela ne changeait rien, il était amoureux d'elle, et il fallait qu'il la retrouve.

Fou. Il était fou. Elle allait partir, donc.

Mais comment la retrouver, cette Pamina ?

Téléphoner à Betsy Khan, l'agent de Pamina. Lui demander une liste des *top-models* de l'époque. Et puis contacter ces filles-là. Elles devaient la connaître, il y en aurait peut-être une qui en parlerait.

— Tu veux vraiment partir ?

— Papa, cela va faire presque deux mois qu'on est là. J'en ai marre. J'ai fait ce que j'ai pu. Laisse-moi appeler maman pour lui dire que je rentrerai demain.

Paris lui manquait, à lui aussi. Surtout depuis qu'une chaleur torride s'était abattue sur cette jungle en béton, rendant chaque mouvement pénible. Il rêvait des fontaines du Trocadéro, du lac du bois de Boulogne. Le loft ne possédait pas l'indispensable climatiseur, ils avaient l'impression d'habiter dans un brasier.

« Et l'hiver, disait Wayne avec une placidité fataliste, c'est encore pire. On meurt de froid. »

Paris lui manquait, avec ses belles avenues bordées d'arbres, ses squares, ses rues asymétriques ; et l'air de Paris, l'odeur de la Seine, du métro (si différente de celle, moins romanesque, du *subway*), des boulangeries au petit matin avec la première fournée de croissants chauds.

Camille s'envola pour la Ville lumière.

Pour la première fois, il dîna seul chez Caprice, inconsolable, malgré les vaines attentions de Becky qui tentait de le réconforter à grands renforts d'exquises aumônières de chou vert au crabe et beurre d'oursin, et de chablis.

Betsy Khan, en New-Yorkaise névrosée, l'envoya balader. Il dut alors faire du charme à l'une de ses assistantes, plus abordable et moins frénétique, une dénommée Heather – nom qui lui était imprononçable –, aussi haute que large, genre pyramidale, avec des hanches qui auraient pu accueillir deux portées de sextuplés et un accent de Brooklyn aussi incompréhensible qu'un patois Wallon.

Malgré ce handicap, il parvint à se faire comprendre. Heather lui proposa de repasser en fin d'après-midi, la terrible Mrs. Khan se rendant à une séance de photos surveiller l'une de ses *girls*. Quand il revint, l'aimable Heather avait déjà retrouvé certains noms.

— Ce sont des filles qui ont maintenant entre trente et trente-cinq ans, dit-elle, comme s'il s'agissait de vieilles dames. La plupart se sont mariées, ont eu des enfants, d'autres font du cinéma, deviennent elles-mêmes photographes, ou se recyclent dans les produits de beauté. En général, elles vieillissent bien.

— Et Pamina ? Pensez-vous qu'elle ait « bien vieilli » ?

— Je n'en sais rien. Pamina était capable du meilleur et du pire. Elle avait un caractère épouvantable. Je le sais car je m'occupais d'elle et de ses contrats. Très déterminée, la petite dame. Mais comme elle était belle, un vrai cœur, on lui passait tout ! Peut-être est-elle devenue une épave ?

Une pensée horrible l'envahit : Pamina Churchward en épave, avec trente kilos de plus, bouffie par l'alcool, victime de cette fragilité mentale qui avait tué sa mère.

— Pourquoi voulez-vous la retrouver ?

Parce que je l'aime, voulait-il dire.

— Parce que j'écris un livre sur sa mère.

— *Oh, really ?* Qui était sa mère ?

— Une cantatrice très douée.

179

— Voilà votre liste. J'espère que cela vous aidera. *Good luck.*

Nicki de Ferraro
Jessica Parker
Andrea Zahedi
Georgia Nelson

Il aurait aimé pouvoir se confier à quelqu'un.

Mais qui ? Camille était rentrée chez sa mère. Basile le traiterait encore de fou. Iris Gapine ne comprendrait rien. Son ex-femme lui rirait au nez.

Les mots montaient en lui comme du lait laissé sur le feu et débordant de la casserole. Des doutes le rongeaient. N'était-il pas trop vieux pour ce genre d'aventure ? Et elle, Pamina, n'avait-elle pas fait sa vie avec un autre, ou d'autres hommes ? Quelle prétention de sa part, de croire qu'il pouvait débarquer dans son existence et s'attendre à ce qu'elle tombe amoureuse de lui, comme dans un conte de fées !

Il tenta d'en parler à Becky, mais elle n'avait pas le temps. D'un œil vif elle ne cessait de surveiller le service, la porte d'entrée, les salutations qui fusaient par-ci, par-là.

Et Wayne, perpétuellement dans la lune, que savait-il de l'amour, du doute, de la souffrance ?

Comme Camille lui semblait loin ! Alors qu'il attaquait son petit déjeuner, elle entamait déjà son après-midi. Quand elle se couchait, dans sa chambre de jeune fille (ou, pensée bien moins charmante, dans les bras de Pierre), le jour tombait à peine sur Manhattan.

Et quand il s'endormait enfin, seul dans le loft noir, le jour se levait tout juste sur Paris, illuminant d'une clarté timide le Sacré-Cœur, le dôme des Invalides, les tours de Saint-Sulpice avec des touches de gris perle et de rose tendre.

9

J'avais du mal à retrouver les mannequins de la liste.

Nicki de Ferraro vivait en Australie dans une ferme. Difficile de lui rendre visite. J'avais beau laisser des messages sur le répondeur de Andrea Zahedi, elle ne me rappelait pas. Georgia Nelson avait déménagé et personne ne savait où.

Je ne pouvais pas rester éternellement ici. La police de l'immigration américaine, notoire pour sa sévérité et son intransigeance, me tomberait bientôt sur le dos. J'avais dépassé le terme accordé au touriste philistin venu visiter New York. Et je ne possédais pas la très convoitée *green card*, permis de travail, sésame de tous les étrangers friands de l'*American Dream*, petite carte verte difficilement procurable où on lisait ces deux mots terribles : *RESIDENT ALIEN*. À croire que l'Amérique désirait oublier que son fameux melting-pot n'était composé que d'*aliens* venus de monde entier, les premiers par le *Mayflower*, en 1620.

Je parvins enfin à joindre Jessica Parker, qui s'appelait maintenant Voss et habitait Martha's Vineyard, une petite île près de Boston. Sur le point d'accoucher, elle me demanda si cela me dérangerait de faire le voyage. Nous convînmes d'un rendez-vous pour le lendemain, dans l'après-midi.

— Ne vous inquiétez pas, vous ne venez pas pour rien, me dit-elle. J'ai beaucoup de choses à vous dire sur Pamina, c'était une bonne amie. Nous sommes du même signe astrologique.

— Ah bon !

— Scorpion ascendant Cancer. À demain !

La jeune femme qui se tenait devant moi était fort enceinte et très jolie. Son ventre immense contrastait avec le reste de son corps fluet.

— Avez-vous fait un bon voyage ? me demanda-t-elle.

— Cela n'a pas été bien long. J'ai pris un avion pour Boston, puis un train, puis le ferry jusqu'ici.

— C'est un bel endroit, ne trouvez-vous pas ?

J'avais à peine regardé autour de moi tant je m'étais concentré sur Pamina. Maintenant, je constatais qu'en effet l'endroit était beau, et que la plage blonde et déserte qui s'étalait devant moi ressemblait un peu à celles du Pays basque, et plus particulièrement d'Hossegor.

Jessica Voss vivait dans une grande maison en lattes de bois gris qui dominait l'Océan. J'admirai le lieu de la terrasse où nous nous assîmes.

En regardant la jeune femme de plus près, je me rendis compte que son visage m'était familier et qu'elle avait effectivement été l'un des mannequins les plus connus des années quatre-vingt. Son visage lisse et bronzé respirait la santé et la jeunesse. Elle ne faisait pas les trente ans qu'elle devait avoir. Certes, elle ressemblait peu à son image publique et sophistiquée, à toutes les photos, affiches, spots publicitaires que j'avais pu voir d'elle, mais son célèbre sourire et ses dents du bonheur étaient immédiatement reconnaissables.

Jessica Parker était ce genre de fille que l'on voyait partout, placardée sur tous les murs, allongée sur toutes les pages, diffusée sur toutes les chaînes. Et même quelqu'un comme moi, qui ne s'était jamais intéressé à la mode et qui restait passif devant les « pubs », comme disait Camille, n'avait pu échapper à cette puissante médiatisation.

— Ah, je vois à votre tête que vous me situez, dit-elle, amusée.

— Oui, c'est vrai, votre nom ne me disait rien, mais votre visage m'est familier. J'ai l'impression de très bien vous connaître.

Elle sourit gentiment.

— Vous devez avoir l'habitude de ce genre de remarque.

— Oui, répondit-elle, simplement.

— À un moment, vous étiez affichée dans le métro parisien, en long et en large, pour un parfum. On vous voyait courir en tenue de soirée dans une avenue, genre Champs-Élysées, avec un grand chien noir.

— C'était pour le lancement de *Talita*. Vous avez une bonne mémoire.

— Je m'en souviens bien car cette affiche, entre autres, me rappelle le souvenir d'une époque passée. C'était il y a huit ans, n'est-ce pas ?

— Oui, je crois bien.

— Cela correspond au début de la fin de mon mariage. Et vous avez tourné dans une publicité, quelques années plus tard, pour des vêtements, où vous faisiez une sorte de strip-tease à l'envers, comme Ursula Andress dans un film de Belmondo.

— Oui, mais je ne dévoilais pas grand-chose ! fit-elle en riant.

— Assez pour que je ne l'oublie pas, d'autant qu'à l'époque de votre charmante exhibition, ma fille entrait dans la difficile période de l'adolescence. Je pourrais aussi vous parler d'une autre affiche. On la voyait partout dans Paris, pas dans le métro : vous vouliez prendre l'air, c'est ça ? (Elle rit.) C'était, me semble-t-il, une réclame pour un grand magasin parisien au moment des fêtes de fin d'année. Vous étiez habillée en Père Noël. Cela vous allait très bien.

— Je vous en remercie.

— Et si je revois bien cette publicité, c'est que, durant ce Noël-là, ma femme m'a dit qu'elle voulait

186

divorcer. C'était il y a quatre ans. Vous voyez, vous avez assisté à toutes les étapes de ma vie.

— J'espère bien pouvoir vous aider pour la nouvelle étape, celle qui concerne Pamina.

Avant que je puisse répondre, elle poussa un petit cri de douleur et toucha son ventre.

— C'est pour quand ?

— Pour demain au plus tard. Je meurs de peur.

— C'est votre premier enfant ?

— Oui. Un garçon.

— À l'époque où ma fille est née, l'échographie n'existait pas. On prenait ce qui venait. On avait la surprise.

Elle massa son ventre.

— Ça va mieux maintenant. Nous parlions de Pamina. Il paraît que vous écrivez un livre sur sa mère ?

— Vous êtes bien renseignée.

Elle sourit.

— J'ai appelé Heather. Je voulais en savoir un peu plus sur vous.

— Ah ! fis-je, vaguement inquiet.

— Heather m'a dit que vous étiez charmant, *very french*, et que votre accent était irrésistible. Elle a tout à fait raison. On dirait Yves Montand. Vous devez avoir un succès fou ici, avec un accent pareil.

Elle n'aurait pas dû me parler comme cela, cette petite Jessica, elle était bien trop jolie, et je n'étais qu'un homme, après tout. Mais l'immensité sacrée de son ventre magnifique m'empêchait de lui faire la cour. Cela aurait été un sacrilège. Je ne pouvais que la remercier respectueusement, légèrement rougissant et quelque peu troublé.

— Reprenons. Nous parlions de Pamina, dit-elle, en ignorant mon émoi. Que voulez-vous savoir ?

— Je voudrais savoir si vous savez où elle est.

Le sourire fameux éclata.

— Eh bien ! non. Cela aurait été trop facile, vous ne trouvez pas ?

— Certes, fis-je, tout de même déçu.

— Elle a quitté New York parce qu'elle s'était entichée d'un Anglais. Elle était enceinte de lui.

— Ça, je ne le savais pas.

— Personne ne le savait. Juste les bonnes copines. Certainement pas Sharon Gardiner ou Betsy Khan.

— Alors elle est vraiment partie comme cela, sans laisser d'adresse ?

— Pour Sharon et Betsy, oui. C'est la bonne version.

— Mais pas pour vous.

— Non, pas pour moi, pas pour les amies. Vous savez, Pamina a fait ce métier pour s'amuser. Cela n'a jamais été sérieux pour elle. Elle arrivait toujours en retard, oubliait les rendez-vous, se fichait de la tête des photographes. Elle était terrible. Moi, je la trouvais formidable. Mais je ne pouvais pas me permettre d'en faire autant. (Sourire amer.) Moi, je n'étais pas une héritière. J'avais besoin de gagner ma vie. Pamina n'a jamais eu besoin d'argent. Et quand les deux vieilles ont commencé à l'emmerder, elle ne l'a pas supporté. Elles étaient épouvantables, la Gardiner et la Khan. Elles nous traitaient comme des esclaves. Elles s'immisçaient dans nos vies privées, hurlaient dès qu'on prenait un kilo, qu'on avait un bouton, ou un *boy friend* trop sérieux. La menace d'un homme, du mariage, des bébés, c'était le pire pour elles. Cela voulait dire la fin d'une carrière pour une fille. Elles ont souvent viré des filles enceintes. C'est sûrement à cause de ces deux mémères que j'ai attendu l'âge que j'ai pour me marier et avoir mon premier enfant. Ridicule, non ?

Comme pour protester, son ventre sursauta.

— Mon Dieu, il n'a pas du tout aimé que je dise cela, vous avez vu ?

Elle caressa doucement son ventre.

— Pamina est partie sur un coup de tête, continuat-elle. Elle était très impulsive, elle ne reculait devant rien. Quand son père est mort, elle s'est sentie libérée et elle a voulu tout essayer, tout connaître. Même les pires choses… Mais ça vous n'êtes pas obligé de le mettre dans votre livre.

— Bien sûr, m'empressai-je de lui dire.

— Elle n'a jamais aimé son père. Il représentait tout ce qu'elle détestait ; la rigidité d'une société guindée dans laquelle elle ne s'est jamais sentie à l'aise, une éducation sévère dans des pensions strictes du Connecticut pour *poor little rich girls* d'où elle avait tenté cent fois de s'évader. Sans parler de cet appartement sinistre et sombre de la Cinquième Avenue. Mais je vais vous dire une chose.

Elle s'approcha un peu de moi et je remarquai qu'un nuage de taches de rousseur ambrées constellait son nez aquilin.

— Je peux vous garantir, et j'en aurais mis ma main au feu, que si Pamina avait continué d'être mannequin, elle aurait été bien plus célèbre que moi.

— Ce n'est pas possible d'être plus célèbre que vous.

— Ne me flattez pas inutilement, monsieur le *Frenchie*. Je veux simplement vous faire comprendre que cette fille-là avait tout, un nom, un visage, une personnalité. C'est rare, dans notre métier, d'avoir tout. Moi, j'ai réussi, parce que j'étais ambitieuse et surtout parce que j'ai eu de la chance. J'avais un look à la mode. Voilà tout. Mais cette fille-là, c'était vraiment quelqu'un. Elle ne se contentait pas d'être bêtement belle. Elle était divine, insupportable, brillante, douée, unique. Je crois bien que je ne l'oublierai jamais.

Moi, je n'oublierai pas cette charmante Jessica Voss.

Elle m'avait offert un verre de vin blanc glacé.

J'avais toujours imaginé, fort de mon machisme sournois et inavoué, que les mannequins ne pouvaient être que de ravissantes idiotes, élégants portemanteaux qu'on trimbalait à son bras pour être vu et envié par d'autres hommes moins chanceux (je faisais partie, bien entendu, de cette dernière catégorie). Jessica Voss n'avait rien d'un cintre décoratif.

190

Fine et instinctive, je crois qu'elle comprit très vite que le livre sur Adrienne Duval n'existait pas. Elle était infiniment trop discrète pour me le dire, mais je lus dans ses yeux gris-bleu, la même couleur que l'Atlantique, une complicité qui ne manqua pas de m'émouvoir. Elle se doutait bien que j'étais tombé amoureux de l'image de Pamina Churchward. Et elle comprenait pourquoi.

Dans l'avion qui me ramenait vers New York, je repensais à ce qu'elle m'avait appris sur Pamina.

« ... Elle aimait Mozart. Surtout les opéras de Mozart, et, en particulier, *Cosi Fan Tutte, Don Giovanni*. Elle ne voulait écouter que cela durant les séances de photos. Les photographes devenaient fous. Si on ne lui mettait pas son Mozart, il n'y avait pas de photos. Alors on faisait ce qu'elle voulait, comme d'habitude. Je me souviens qu'elle était capable de chanter des airs entiers par cœur. Ce qui était drôle, c'est qu'elle chantait faux. Elle chantonnait souvent pendant qu'on attendait entre deux prises de vues. Dans ce métier, on passe sa vie à attendre, attendre la bonne lumière, le maquilleur, le coiffeur, la styliste, la rédactrice, un autre mannequin. Et Pamina meublait ces heures perdues avec du Mozart...

« ... Elle me parlait très peu d'elle, de son enfance, de sa mère : je savais simplement qu'elle était française, et qu'elle était morte à Paris quand Pamina était toute petite. Nous sommes souvent allées à Paris pour des défilés de collections et des photos. Cela ne la troublait pas, apparemment. Et d'ailleurs, à ma grande surprise, elle parlait mal le français. Avant son départ définitif pour l'Europe, elle me sembla nerveuse et agitée. Je me demandais si elle désirait vraiment cet enfant, ou si ce pauvre bébé était simplement une excuse pour pouvoir quitter New York et ce métier qui ne l'amusait plus. Moi, j'étais tout le temps à droite, à gauche, cela commençait à démarrer pour moi, à l'époque. J'étais moins disponible pour elle, sans doute. Un jour je suis revenue du Mexique et j'ai trouvé une lettre d'elle m'annonçant qu'elle serait partie pour Londres avant mon retour. Puis elle m'envoya son faire-part de mariage et, plus tard, une photo de son fils. Nous sommes restées vaguement en contact pendant un an, ou deux, et puis plus rien. Le fil s'est rompu. J'ai été débordée de travail, de voyages. Puis j'ai rencontré mon mari. Et que voulez-vous, le temps passe. Mais je pense à elle de temps en temps. J'aurais bien aimé savoir ce qu'elle est devenue. La vie est mal faite, vous ne trouvez pas, quand on perd ainsi le contact avec les gens qu'on aime ?... »

Alors que je me rapprochais inexorablement de la grisaille de Manhattan, je regardais un Polaroid jauni que Jessica Voss m'avait donné. On les voyait toutes les deux, à vingt ans, vêtues de peignoirs en éponge, les cheveux enturbannés, affalées sur une table où s'amoncelaient maquillage, canettes de Coca-Cola, plateaux de nourriture et paquets de cigarettes.

« Un de nos moments perdus. J'aime beaucoup cette photo, mais je vous la donne. On attendait un maquilleur pour un *sitting* très important. J'avais un rhume et Pamina était d'une humeur de chien. On a poireauté tout l'après-midi. Après ça, Pamina a dit : "Plus jamais." Et c'est drôle, parce que c'est à partir de ce moment-là que nous avons commencé à les faire attendre à notre tour. Enfin, surtout elle. Moi j'avais une heure de retard, pas plus. C'était standard, pour une *top*. Mais Pamina… Elle arrivait carrément le lendemain. Elle en avait assez d'être prise pour une oie. Sharon Gardiner frisait la crise cardiaque, Betsy Khan l'apoplexie, et les photographes s'arrachaient les cheveux. Mais ils ne pouvaient rien faire sans elle. Elle les tenait dans la paume de sa main. »

Je voulais bien le croire en contemplant ce visage dur et charmeur, dénué de tout maquillage, pâle comme celui d'une geisha. Son menton appuyé sur une main, elle fixait l'objectif d'un regard hautain et las. À côté d'elle, une Jessica toute jeune riait aux éclats.

« Je vous souhaite beaucoup de chance ! m'avait lancé Jessica Voss. Prenez ceci, cela peut toujours vous servir. »

Elle m'avait tendu un morceau de papier sur lequel elle avait griffonné quelque chose.

« C'était sa dernière adresse, avant que je la perde de vue. Cela vous aidera peut-être. »

À ce moment-là, une voiture s'était arrêtée devant la maison. Un jeune homme en sortit. Elle me le présenta. C'était son mari. Il mit la main sur son ventre d'un geste tendre et possessif. Je repensai à ce geste, et l'enviai.

Je réalisai, non sans une certaine gravité, que ce voyage éclair à Martha's Vineyard avait été ma seule escapade de New York City. J'avais à peine regardé autour de moi, à peine profité de cette bouffée d'oxygène et voilà que je retrouvais déjà l'air vicié de Manhattan.

Désormais, le nom de Martha's Vineyard évoquerait pour moi le souvenir d'une jeune femme enceinte au sourire célèbre, aux yeux couleur d'océan, et la saveur pointue d'un muscadet frais en parfaite harmonie avec l'air du large et le bruit des vagues.

Mes parents entretenaient des rapports ignobles avec l'argent. Pour eux, l'argent était plus tabou que la luxure, plus redoutable que la mort, plus honteux qu'une M.S.T. Ils n'en parlaient jamais, ou très peu, leurs mâchoires se raidissaient d'une façon caractéristique dès qu'il fallait prononcer le traître mot, ou celui de franc, billet, monnaie et même, centime. Élevé dans cette atmosphère de crainte et d'hypocrisie, je me demande aujourd'hui, si malgré l'apparente facilité avec laquelle j'ai « tutoyé » mes maigres gains, une marque infime laissée par cette éducation bornée ne s'est pas imprimée quelque part sur mon être. Pourtant, cela ne m'a jamais été difficile de donner de l'argent à mon ex-femme, à Camille, aux quelques maîtresses qui en avaient besoin. Je n'ai jamais ressenti de pincement au cœur, de piètre égoïsme en le faisant.

Et voici, en constatant qu'il me reste si peu de dollars, que les loyers de l'appartement ne suffisent pas à satisfaire les exigences de la vie quotidienne new-yorkaise, voici que je me surprends à compter mes sous, le dos courbé, les mains tremblantes, le front plissé, avec cette même attitude abjecte que j'ai toujours haïe chez mes parents. Ce qui ne m'était jamais arrivé…

Je réalise mon extrême solitude dans cette ville d'édifices en Plexiglas et je n'éprouve qu'une envie : retrouver l'Europe salvatrice. Elle m'apparaît soudain comme une mère réconfortante et le lieu de providence où je retrouverai Pamina Churchward et des rapports sains avec l'argent.

Au revoir Tribeca, *so long* Brooklyn Bridge, *goodbye* statue de la Liberté, adieu Central Park et ses malandrins, je vous laisse à votre passé neuf et m'en vais retrouver Paris et ses siècles d'histoire.

L'appartement, vidé de son locataire provisoire, me parut heureux de retrouver son maître. Des monceaux de courrier m'attendaient sur la table basse. Un bouquet de fleurs aussi. L'écriture de Camille sur la carte, « *Welcome home Dad !* ».

Après ces mois d'absence, Paris me sembla minuscule, propre, archaïque et sublime. À l'arrivée, j'eus envie, tel le pape, d'embrasser le sol goudronné de Roissy-Charles-de-Gaulle ; puis de déposer une gerbe de fleurs sur la tombe du Soldat inconnu, de monter en haut de la tour Eiffel d'où la vue était plus belle que de l'Empire State Building. Pour la première fois de ma vie, j'étais fier d'être français, d'habiter cette capitale. Camille trouvait cet élan tardif de patriotisme puéril et tout à fait ridicule.

Anéanti par le décalage horaire (selon ma fille, c'était bien plus chic de dire *jet-lag*), je commençai à trier le courrier. Que de factures, relevés de comptes, avis d'imposition ! Une lettre de mon patron me demandant de lui communiquer la date exacte de mon retour au travail ; une carte postale de Basile qui se trouvait en Espagne avec une nouvelle fiancée ; quelques lettres d'Iris Gapine qui désirait ardemment me revoir et dont les fautes d'orthographe me firent sourire.

Et puis, si douloureux, ce télégramme de mes frères m'annonçant la mort de ma mère.

— J'ai essayé de te joindre dès que je l'ai su, fit Camille. Mais le téléphone ne répondait pas dans le loft. Puis tu as laissé un message sur le répondeur de maman disant que tu rentrais tout de suite. J'ai dit à mes oncles d'envoyer le télégramme à Paris, sinon il serait arrivé à New York après ton départ.

— Tu as bien fait.

— Tu es triste ?

— Oui, je crois.

— Moi aussi.

Pourtant ma mère avait été aussi distante avec sa petite-fille qu'avec son fils cadet.

Je réalisai, avec une sorte d'effroi, qu'elle était morte le jour où je me trouvais à Martha's Vineyard. Voilà pourquoi Camille n'avait pas pu m'atteindre. Et, en rentrant de ma virée, je m'étais décidé à quitter la ville très vite. Devait-on appeler cela le destin, ou le hasard ?

On devait enterrer ma mère le lendemain de mon arrivée à Paris, au cimetière du Montparnasse.

— Vous revenez à point, me dit mon ex-femme, pas trop méchamment.

Je n'avais pas revu mes frères depuis une éternité. Les années étaient passées sur leurs visages, et ils me parurent bien moins jeunes et toujours aussi sérieux. Leur laideur me frappa, la grossièreté de leurs traits, la pauvreté de leurs cheveux, l'épaisseur grumeleuse de leur peau. J'étais le moins intelligent des trois, certes, mais en tout cas, nettement le plus beau.

L'X vieillissait mal, faisant pédéraste défraîchi avec sa bouche en cul de poule et sa pomme d'Adam tremblotante. L'Énarque, devenu aussi gros que sa femme, avait autant de difficulté que son épouse à caser son imposant postérieur sur les petites chaises de l'église. Leurs trois fils, tous victimes d'une puberté ardue, s'acharnaient sur leurs papules respectives en lorgnant les mollets de Camille. Ma belle-sœur portait un béret de velours noir qui écrasait son front déjà bas et dont la forte pression autour des tempes donnait naissance à une vague de bourrelets luisants au-dessus de ses petits yeux fouinards.

Même si je n'avais jamais réellement aimé ma mère, parce qu'elle ne m'en avait pas donné le droit, ce fut cruel d'assister à son enterrement. Je ne m'attendais pas à cette douleur, qui me prit par surprise. Il est difficile d'accepter que la femme qui vous a donné la vie est morte, et qu'elle ne reviendra jamais. Dans ce cercueil se trouvait ma mère, celle qui m'avait porté. C'était pourtant simple, mais pas moins inacceptable.

Le deuxième choc, tout aussi pénible, fut de voir mon père, d'habitude si hautain, si fier, métamorphosé en vieillard ratatiné aux yeux rougis et au nez humide. Accablé, il fixait l'horrible cercueil d'un regard abruti et vide.

C'est pour lui que j'ai pleuré, et non pour ma mère morte de vieillesse dans son lit.

J'ai pleuré pour mon père, dépourvu de celle qu'il aimait, celle qui vécut un demi-siècle à ses côtés, et qui, en mourant, ne lui laissait que la lugubre perspective d'une existence désormais solitaire.

La mort de ma mère m'affecta plus que je ne voulus le croire. Après cet événement difficile, je me retrouvai dans une curieuse situation de déjà-vu.

Ayant repris le travail avec une étonnante facilité, je me vis replongé dans un train-train semblable à celui d'avant mon départ, à croire que j'avais effectué un retour en arrière de plusieurs mois. Et, pour approfondir ma confusion, Adrienne Duval et sa fille me rendirent à nouveau visite.

Je dois cependant concéder que cette routine monotone était pimentée par les visites nocturnes de l'insatiable Mme Gapine, toujours « de passage sans mon mari » et dont l'appétit sexuel me comblait autant qu'il m'épuisait. Cette femme était infernale. Je passais des nuits entières à être la victime consentante d'une tornade blonde et vorace, dont le désir ne connaissait pas de limites, perpétuellement inassouvie. C'était fort agréable, mais très fatigant.

Puis un jour ma fille me fit une remarque qui me pétrifia.

— J'espère que tu n'as pas oublié que, malgré ton physique de jeune premier, tu approches à grands pas de la soixantaine…

— Oui, et alors ?

— Peut-être que ta Pamina n'aime pas les vieux…

Autrement dit, je n'avais plus une minute à perdre. Rapidement, je décidai de profiter de quelques jours de congé dus à un pont pour m'envoler pour Londres. Malgré les supplications de Camille, je pris la décision de partir seul. À l'idée de retrouver enfin Pamina, comment lui dire : « Je vous présente ma fille ? » Impossible. Un chevalier servant n'a ni femme, ni maîtresse, ni rejeton. Du moins, pas durant la phase capitale de séduction. Pudique, je ne souhaitais pas que ma fille assiste au moment crucial de mon existence : la conquête de celle que j'aimais. Délicat de faire passer ce message à Camille, qui me traita d'égoïste. Elle quitta l'appartement en claquant la porte de toutes ses forces. Mais c'était décidé, j'irais seul avec, dans mon portefeuille, le Polaroid et l'adresse que m'avait donnée Jessica Voss le jour de la mort de ma mère :

> Pamina Churchward
> 23 Ladbroke Grove
> London

Un soir, peu de temps avant mon départ, comme je lisais tranquillement dans la mezzanine, je fus gêné par un groupe de jeunes gens bruyants réunis dans un immeuble voisin qui, fenêtres grandes ouvertes, perturbaient le calme avec leurs éclats de rire et la musique qu'ils écoutaient (si toutefois on pouvait appeler musique cette cacophonie). Contrarié, je fermai les fenêtres.

En vain.

Les gémissements syncopés d'une diva du disco en délire me parvenaient encore. Pendant quelques instants je subis en silence cet assaut indigne de mes tympans devenus si subtils, mais lorsque la complainte essoufflée de la diva déchaînée redoubla d'intensité, propulsée par une basse et des percussions diaboliques qui firent trembler le sol, les murs, et les vitres, je crus suffoquer.

POOM BA PA BOOM
POOM BA PA BOOM
OOH BABY YOU AND ME
NOTHIN'S BETTER THAN THIS EXTASY
OOH BABY YOUR LOVE'S SO HOT
GIMME ALL THE LOVE YOU'VE GOT

Un malaise inexplicable m'envahit. Des gouttes de sueur dégoulinèrent sur mon front, j'eus du mal à respirer, à tenir debout. Si cela continuait, j'allais sûrement mourir. J'imaginais déjà les gros titres : « Drame dans le VIIe arrondissement. Un quinquagénaire meurt des suites d'un viol auditif », ou « Il ne supportait que Mozart, la *dance-music* l'acheva ».

POOM BA PA BOOM
POOM BA PA BOOM
OOH BABY YOUR KISS IS SUCH BLISS
OOH BABY THIS I CAN'T MISS

Que faire ? Fuir ? Hurler ? Me laisser mourir d'une overdose de disco ? Appeler la police ?

Et cette monstrueuse basse qui tapait de plus belle, lourde et acharnée, aussi pesante que la Grosse Bertha.

Alors que je crus m'étrangler de rage, une illumination subite m'apparut.

Le sauveur ! Wolfgang Amadeus ! Mozart !

Retrouvant par miracle tout mon aplomb, je bondis vers la chaîne stéréo et remontai les baffles vers la fenêtre. En un tour de main, le disque fut en place, le volume au maximum. J'ouvris les fenêtres. Les POOM PA BOOM envahirent la pièce tels Attila et les Huns. Vaillamment, je me plaçai près de la fenêtre afin de pouvoir épier les résultats de la bataille sonore du siècle : Don Giovanni versus diva du disco.

Les quatre premières mesures de l'Ouverture, qui, dit-on, ne coûta qu'une nuit de travail à son auteur, éclatèrent comme une bombe, avec un fracas inimaginable, tranchant net dans les POOM BOOM, telle la plus terrible des justices, la plus fulgurante des vengeances. Avec délice et ferveur, j'écoutai agir ces infernales gammes tour à tour montantes puis descendantes, sifflantes et aiguës, qui remplissaient la rue de leur beauté impitoyable.

Incapables de lutter contre la suprématie de ces fougueux *allegro*, de ces volcaniques *sforzando*, de ces *crescendo* incandescents, les ennemis battirent en retraite, la diva du disco s'éteignit dans un dernier râle, fenêtres et volets se fermèrent avec vacarme, et mon insolent sauveur régna enfin, tout-puissant sur la rue déserte.

Une pluie légère traverse la nuit, mais l'Amadeus ne la voit pas, trop occupé à faire durer ce *fa* délicieux qui annonce le lever du rideau et l'arrivée du grognon Leporello.

J'écoute celui-ci se lamenter en contemplant les longs faisceaux de lumière laissés par les voitures sur l'asphalte mouillé, et je pense, comme toujours, comme d'habitude, à elle, Pamina, à ce qu'elle fait en ce moment précis. Dort-elle, et si oui – pensée horrible – avec qui ?

10

L'Angleterre d'avant Pamina Churchward se résumait, pour lui, à une série d'étés passés près de Brighton, plus exactement à Beachy Head, en compagnie de ses frères, chez des familles anglaises. En contrepartie, ses parents héritaient de jeunes Anglais apparemment aussi perfides qu'Albion elle-même, qui ne nourrissaient aucun intérêt pour la France ou les Français, et passaient le plus clair de leur temps à jouer au *cricket* et à ingurgiter d'énormes quantités de bière.

De ces étés-là, il conservait le souvenir nébuleux de plages aux galets ronds et gris, de mer glaciale, de ciels lourds, de repas du soir terminés à dix-huit heures et de petits déjeuners indigestes. Il connaissait peu Londres, ses visites d'enfance s'étant limitées à la Tate Gallery, la Tower of London et Trafalgar Square.

En arrivant, il fut frappé par la taille de la ville, sa banlieue tentaculaire, ses carrés de verdure et les petites maisons identiques qui défilaient les unes après les autres, avec, pour seule différence, la couleur des portes d'entrée et des volets. Visiblement les Anglais aimaient les teintes vives : violet, rouge, vert, jaune, orange. Rien à voir avec la sobriété parisienne et le vert placide de ses portes cochères.

Il remarqua que les Londoniens ne se regardaient pas dans la rue. À Paris, pensa-t-il, on est sans cesse observé, reluqué, jugé, que l'on soit homme ou femme, beau ou laid, riche ou pauvre ; on n'est jamais à l'abri de ce regard qui dissèque, analyse, déshabille des yeux, comprend en un éclair d'où viennent ces chaussures, cette montre, ce manteau, qui a coiffé ces cheveux, combien mesure ce tour de taille.

« Les New-Yorkais se toisent avec sympathie, les Parisiens se scrutent sans pitié et les Anglais s'ignorent », se dit-il, amusé.

Il vit passer dans la plus parfaite indifférence un jeune homme au nez transpercé d'un anneau, aux lobes criblés de trous, et dont l'incroyable chevelure mauve pointait vers le ciel telle la crête d'un stégosaure. Par la suite, il remarqua une multitude de jeunes gens aux cheveux multicolores, et comprit qu'on devait vite devenir blasé à force de les voir, mais il eut du mal à s'y faire. Il lorgna, près de Shepherd's Bush, une ravissante jouvencelle à la minijupe inexistante et au déhanchement sensuel. Pas un homme ne se retourna pour l'admirer.

Il décida de ne pas se rendre tout de suite à Ladbroke Grove. Il avait deux jours devant lui. Il lui fallait trouver un hôtel et s'installer. Camille lui avait suggéré d'opter pour le quartier chic (et donc cher) de High Street Kensington, pas loin de celui de Ladbroke Grove. « Comme ça, tu ne te perdras pas », lui avait-elle dit. Il suivit ses conseils et n'eut pas trop de mal à trouver une chambre à un prix assez raisonnable. Il déjeuna rapidement à l'hôtel, puis à l'aide d'une carte aimablement mise à sa disposition par sa fille, il se mit en route pour Ladbroke Grove.

Il découvrit une rue agréable, presque aussi large qu'une avenue, bordée d'arbres au feuillage épais et de jolies maisons aux teintes pastel : abricot, vieux rose, ocre, jaune pâle. On avait l'impression de se trouver à la campagne. « Dur contraste avec la froide splendeur du 960 Fifth Avenue », pensa-t-il. Le soleil de l'après-midi déposait des taches orangées sur ce tableau champêtre.

Il se trouva devant le numéro 23, qui luisait d'un beau saumon clair. Aux fenêtres du rez-de-chaussée, d'épais rideaux beiges bougèrent imperceptiblement. Devinait-il une forme derrière eux ? Il sifflota pour tenter de retrouver son calme. Une voiture était garée devant le portail. Il remarqua deux bouteilles en verre sur le perron à l'attention du *milk-man*, un pot de fleurs sur le rebord de la cuisine. Figé, il ne pouvait ni reculer ni avancer. Le frémissement des rideaux s'accentua. On avait dû le repérer. C'est vrai qu'il devait avoir l'air bizarre, planté là, sifflotant mécaniquement, l'œil rivé sur la maison.

Soudain la porte d'entrée s'entrouvrit et une voix de femme lui demanda ce qu'il voulait. Il balbutia quelques mots incompréhensibles.

Alors la porte s'ouvrit en grand et une femme d'une cinquantaine d'années apparut, brune et corpulente, portant un pull à torsades et un pantalon de velours côtelé. Il s'attendait tellement à voir émerger de la maison une fine et longue silhouette blonde qu'il en eut le souffle coupé.

La femme répéta sa question avec impatience, et il s'efforça de lui faire comprendre le but de sa visite, tout en la priant de l'excuser de la déranger. Mais son anglais médiocre le trahit.

Irritée par ce franglais dosé d'un fort accent américain, (les quelques mois passés à New York avaient laissé leur trace), la dame tourna la tête et se pencha vers l'intérieur de la maison en criant d'une voix aussi puissante et grave qu'un cor de chasse :

— *Harry ! Harry ! Can you come down, please ? There's a French chap here, can't make a damn word out of what he's trying to tell me !*

Le dénommé Harry ne tarda pas à faire son apparition. Râblé et rondouillard, accoutré d'une formidable tignasse de bouclettes grises, il étudia le nouveau venu à travers et au-dessus de ses lunettes en demi-lune, en levant le menton et présentant le front alternativement. Son oreille semblait plus experte que celle de sa compagne, et il parvint, au bout de quelques instants, à déchiffrer la mission de ce rôdeur suspect.

Rassurés par l'apparente honnêteté de celui-ci, Harry et son épouse, qui s'appelait Felicity, l'invitèrent à prendre un verre, et c'est ainsi qu'il se trouva dans une grande véranda un peu froide qui donnait sur un surprenant jardin vert, impeccablement bien tenu.

On lui offrit du sherry et des biscuits secs.

— Pamina Churchward, dites-vous ? fit Harry pensivement.

— Oui.

— Cela ne me dit rien du tout. Et à toi, *darling* ?

— À moi non plus, répondit Felicity.

— Pourtant cela va faire six ans que nous sommes là. Nous avons acheté cette maison à… comment s'appelait-il déjà, *darling* ?

— Il s'appelait Hunter, dit Felicity avec lassitude.

— Les femmes ont meilleure mémoire que les hommes, ne trouvez-vous pas ? lança Harry.

— C'est pas difficile, grommela Felicity.

— Bref, ce Hunter…, reprit Harry.

— Lord Hunter, corrigea Felicity.

— Oui, c'est ça, Lord Hunter. Il nous a vendu cette maison.

— Avait-il une femme, ce Lord Hunter ?

— Ah ! ça oui ! Et quelle femme ! Lady Hunter, quel beau morceau, hein, tu t'en rappelles, *darling* ?

— Non, pas du tout, fit sèchement Felicity.

— Mais enfin, cette magnifique blonde d'un mètre quatre-vingts ! Je lui arrivais au nombril. Ah ! elle était splendide, sa lady, au Lord Hunter !

— Une très belle blonde, américaine, mannequin ?

— Tout à fait.

Il tendit le Polaroid à Harry.

— Reconnaissez-vous celle de gauche sur cette photo ?

Harry loucha à travers ses lunettes.

— Mais oui ! Mais oui ! Celle de gauche, regarde, *darling*, c'est bien elle ?

Felicity daigna regarder la photo. Puis elle lança :

— Oui, c'est elle, mais elle faisait déjà plus vieille quand on a eu la maison.

— Remarquez, celle de droite est pas mal non plus, dit Harry.

Il reprit le Polaroid à Harry sous le regard glacial de Felicity.

— Churchward, c'est son nom de jeune fille, alors ? demanda Harry.

— Oui, c'est cela. L'avez-vous connue, à l'époque de l'achat de la maison ?

— Oh ! très peu. Elle avait un petit enfant, elle n'était pas là souvent. Je crois qu'ils habitaient déjà dans leur nouvelle maison. Nous avons signé les papiers, et ce fut réglé.

— Pourquoi la cherchez-vous ? interrogea Felicity.

— J'écris la biographie de sa mère, une cantatrice française. Pamina est sa fille unique, et j'ai besoin de son témoignage.

— Peut-être que j'ai leur adresse dans l'acte de vente, dit Harry.

— Ils auront sûrement déménagé depuis, fit Felicity.

— Je vais quand même tenter de la localiser, reprit Harry. Ça doit se trouver quelque part dans le fouillis de mon bureau.

— Bonne chance, marmonna Felicity.

— Je vais aller voir, ne bougez pas.

Harry sortit de la pièce. On entendit son pas lourd monter lentement l'escalier.

Il remarqua que la nuit tombait plus vite à Londres qu'à Paris.

C'était une nuit froide et noire, plus humide, aussi. Les réverbères diffusaient une lumière rougeâtre bien moins réconfortante, lui sembla-t-il, que la lueur blanche et pâle des rues de Paris.

En quittant Ladbroke Grove, il décida d'aller prendre un verre dans un des nombreux pubs du quartier.

Au *Nag's Head*, il resta longtemps assis devant une table avant de comprendre qu'il fallait qu'il aille lui-même chercher sa bière au comptoir. En savourant son *pint*, il regardait autour de lui, amusé de se retrouver dans cette institution typiquement anglaise, et franchement inimitable.

Il observa une table de jeunes femmes – « mal habillées et lourdement maquillées », jugea-t-il, en bon Parisien –, aux cheveux coupés court au-dessus des oreilles et laissés longs sur la nuque en crans disgracieux, qui s'esclaffaient comme des collégiennes. Elles devaient être secrétaires ou vendeuses, se retrouver là tous les soirs après le travail, avant d'affronter le *tube* bondé pour revenir chez elles dans les banlieues dortoirs du Greater London, l'*Evening Standard* sous le bras.

À une autre table, il étudia un groupe d'hommes de son âge, vêtus de costumes *pinstripe* épouvantablement mal coupés (les Anglais ne savaient-ils donc plus s'habiller ?), les traits tirés par une journée de labeur. Ils jouaient aux fléchettes, bruyamment, comme de petits garçons, s'imbibant de *lager* afin d'oublier leurs soucis, et il les imaginait rentrant plus tard chez eux, titubant légèrement, la tête vide et l'haleine chargée d'alcool, prêts à s'effondrer devant la télévision.

Plus chaleureux, plus convivial qu'un café parisien, ce pub donnait l'impression de se trouver chez quelqu'un. Peut-être était-ce l'épaisse moquette, les boiseries, une certaine intimité dans l'atmosphère et l'absence de Formica, zinc, carrelages et néon ?

En dépit de cette ambiance amicale, il se sentait étranger et à part, seul devant sa table et sa chope, à écouter les rires et les voix d'inconnus. À onze heures, les lumières s'éteignirent et le pub se vida. On fermait tôt, à Londres. Il avait des habitudes de Parisien noctambule.

Il ne lui restait plus qu'à se rendre à l'hôtel, où il dormirait dans une chambre et un lit inconnus, avec pour seule compagnie le Polaroid de Pamina et Jessica posé sur la table de nuit.

Il dégusta avec appétit un *real english breakfast* composé de *crumpets*, œufs et *bacon*, marmelade et thé Earl Grey. Faisant semblant de lire le *Times* posé à côté de son assiette, il pensa à la journée qui s'étendait devant lui.

Il devait être à Paris le soir même, et au bureau le lendemain. Ce dimanche lui parut tout à coup bien étriqué pour tout ce qu'il avait à faire.

D'abord *elle* habitait loin. En dehors de Londres. Après la banlieue. Harry lui avait expliqué qu'il fallait prendre un train à Victoria Station en direction de Reading et descendre à Ascot ou Sunninghill. Il mettrait environ une heure. Ensuite, il lui fallait trouver sa maison, perdue quelque part dans le Berkshire, région peuplée par des gens riches, lui avait-on dit, qui prenaient le risque quotidien d'affronter les terribles encombrements du *rush hour* tant il était délicieux de vivre dans ces parages prospères et d'y retourner après une journée de travail dans la capitale.

Lady Hunter, puisqu'elle s'appelait maintenant ainsi, vivait donc dans le comté du Berkshire, au sud de Londres, avec son fils qui devait avoir une dizaine d'années et son mari, Lord Redmond Hunter. Le fait de penser à cet homme le répugnait. Cependant, il dut reconnaître qu'il avait, lui aussi, un passé, un mariage, un divorce, un enfant. Il ne pouvait pas se permettre d'en vouloir à cette femme d'avoir vécu avant lui.

Son dimanche lui filait entre les doigts comme du sable fin. Il s'empressa de payer sa note d'hôtel et prit un taxi pour Victoria Station. Une fois installé dans le train, qui était agréablement vide, il se mit à réfléchir.

Comment l'aborder ?

Il n'allait tout de même pas sonner à sa porte et lui dire qu'il l'aimait.

Et si c'était le mari qui lui ouvrait la porte ?

Que dire au certainement très pompeux Lord Redmond Hunter ? « Bonjour, *my lord*, j'aime votre épouse ! » ?

Il y avait toujours la possibilité de la biographie d'Adrienne Duval… Oui, mais si elle posait des questions un peu trop pointues, elle se rendrait vite compte que ce livre n'était qu'une supercherie. Et il la perdrait à jamais. Elle ne voudrait plus entendre parler de lui. Un valet, ou *foot-man*, habillé d'une livrée aux couleurs de la maison Hunter le mettrait poliment mais fermement dehors.

Alors ?

À mesure que le train avançait, son angoisse grandissait. C'était une crainte terrible, semblable à celle que l'on pouvait ressentir avant un examen important, une épreuve redoutable ou même une visite douloureuse chez le dentiste. Sur l'échelle graduée de l'anxiété, qui allait jusqu'à dix, celle-là valait le maximum.

Alors, pour tenter de se détendre, il se disait que le seul fait de la voir, *elle*, cette femme, de poser les yeux sur elle, même pour un quart de seconde, serait sa récompense, quelques instants magiques qu'il chérirait précieusement pour le reste de sa vie.

Le petit train bleu et poussiéreux s'arrêta à Sunninghill.

Il en descendit comme dans un rêve, bousculé par d'autres voyageurs pressés. Ne sachant pas très bien où se diriger, il remarqua qu'il se trouvait dans une bien jolie campagne, mais en rase campagne. Seul sur le quai, il sortit de sa poche le morceau de papier chiffonné que lui avait donné Harry.

Lady Redmond Hunter
Waldingborough Hall
Ottershaw Road
Easthamstead
Berkshire

Quelqu'un de très malicieux semblait s'être acharné sur son sort en créant ces mots imprononçables. Pendant quelques secondes il regretta désespérément l'absence de Camille. Ces mots-là auraient roulé de sa bouche comme les plus beaux vers de Shakespeare.

Mais Camille se trouvait à Paris, et il ne lui restait plus qu'à brandir son bout de papier à la vieille dame aux cheveux presque violets qui vendait les billets. Souriante, elle lui réchauffa le cœur, ponctuant chacune de ses phrases d'un « *love* » ou d'un « *dear* ». Il ne comprit que le tiers de son monologue charmant : il lui fallait prendre un taxi, les taxis se trouvaient devant la gare. Il la remercia, et se précipita.

Le dernier taxi s'envolait dans un nuage opaque de gaz d'échappement. La nuit anglaise, précoce et sombre, s'apprêtait à tomber très vite. En consultant sa montre, il vit qu'il n'était pas loin de cinq heures.

Il avait l'impression d'être arrivé au bout du monde.

Au bout d'une demi-heure, un taxi réapparut enfin. Le jour se mourait, lentement. Il montra le papier au chauffeur qui semblait connaître l'endroit. La voiture démarra.

Au bout d'une vingtaine de minutes, elle s'arrêta devant un immense portail sur une route campagnarde déserte. Il sut qu'il était arrivé et paya le chauffeur. Il resta seul devant le portail à l'allure gothique où l'on pouvait lire en grosses lettres blanches :

WALDINGBOROUGH HALL
PRIVATE PROPERTY
KEEP OUT
BEWARE OF THE DOG

« Merveilleusement accueillant », se dit-il.

Sa montre indiquait six heures du soir.

L'avion pour Paris devait décoller trois quarts d'heure plus tard.

À sa surprise, le portail n'était pas verrouillé. En se rabattant, la lourde barrière métallique émit un grincement digne du plus dantesque des films d'horreur.

Maintenant il faisait nuit, et il devinait à peine l'énorme masse de la maison dont les hautes cheminées se découpaient contre un ciel sans lune, ni étoiles. Quelques lumières brillaient aux fenêtres. La belle lady serait-elle donc *at home* ? Il avança prudemment, ses pieds faisant crisser le gravier.

À ce moment-là, à une vingtaine de mètres de lui, un énorme chien (du moins il en jugea d'après le timbre féroce) aboya furieusement. Il se crispa, s'attendant à un tourbillon de griffes sur le gravier et l'impact des crocs d'acier sur sa cheville. Mais le chien devait être attaché, car il ne s'approcha pas, malgré des aboiements de plus en plus menaçants. Il continua son chemin à pas de loup, ses yeux s'accoutumant progressivement au manque de lumière. À droite de la maison, il vit une piscine couverte et devina un immense jardin. Puis il s'arrêta devant les quelques marches qui menaient au perron de la vaste demeure. Aucun bruit ne venait de l'intérieur.

Il gravit les marches.

Avant même de réfléchir, de préparer quoi que ce soit dans sa tête, il tendit le bras et sonna. Il n'entendit pas la sonnerie tant la maison était grande et profonde. Le chien hurlait toujours, s'étranglant de rage.

Au bout de trois longues minutes, la lourde porte s'ouvrit enfin.

Il fut confronté au regard vert qui le tenait prisonnier dans son faisceau magique.

Mais ce regard se trouvait dans le visage pointu d'un garçon blond de dix ans.

— *Who are you ?* dit-il d'une voix aiguë. *What do you want ?*

De son anglais hésitant, il répondit qu'il était un ami de Lady Hunter.

Le garçonnet le dévisagea puis referma vivement la porte.

Il demeura immobile sur le perron, encore sous le choc d'avoir vu en chair et en os le petit-fils d'Adrienne Duval, le fils de Pamina Churchward, le dernier maillon de la chaîne.

Alors qu'il s'émerveillait de cette vision trop vite disparue, la porte s'ouvrit à nouveau. Une jeune femme rousse de vingt-cinq ans le regardait timidement.

— Vous cherchez Lady Hunter ? dit-elle en anglais. Je crains qu'elle ne soit pas ici pour le moment.

Elle avait un accent français à couper au couteau.

— Vous êtes française ! s'exclama-t-il.

— Mais oui ! s'écria-t-elle.

Et tout à coup l'austère Waldingborough Hall perdit une bonne partie de sa froideur.

Il se retrouva dans un vestibule grandiose où de splendides tableaux du XIXe tentaient d'égayer l'ambiance glaciale. Un magnifique escalier en bois verni montait au premier étage. D'épaisses et anciennes tapisseries pendaient aux murs.

La jeune femme prit son manteau (il le regretta car il eut aussitôt très froid), et le guida vers un salon dont la température lui sembla polaire. Frissonnant, il regarda d'autres somptueux tableaux, cette fois de maîtres plus anciens, et remarqua un grand piano noir, identique à celui de sa vision.

La jeune femme s'appelait Véronique Barbey. Elle s'occupait du fils de Lady Hunter, Adrian.

— Je suis désolée qu'il ait été aussi peu accueillant avec vous. Il est parfois un peu… difficile.

— Je crois surtout que j'ai dû lui faire peur. J'aimerais m'excuser auprès de lui.

— C'est un gentil garçon.

Une pause.

— Vous me disiez que Lady Hunter n'était pas là ?

— En effet, vous l'avez ratée de peu. Elle est partie cet après-midi pour Venise.

— Venise ?

— Oui, pour la Biennale, comme chaque année.

— Ah !…

— Était-elle au courant de votre arrivée ?

— À vrai dire, non… Je… Je voulais lui faire une surprise, voyez-vous. Il se trouve que je suis un ami de sa mère. Je n'ai pas vu Lady Hunter depuis… fort longtemps.

— Je vois, dit Véronique Barbey, tout à fait sincère.

— Je suis de passage dans le coin, j'ai un ami qui habite à… (il chercha frénétiquement)… à Ascot, et je me suis souvenu que Pamina habitait par là.

— Comment l'avez-vous appelée ?

— Pamina.

— Pamina ? dit-elle, comme si elle prononçait ce nom pour la première fois de sa vie.

Il eut une grosse frayeur.

— Vous lui connaissez un autre prénom ? demanda-t-il, s'efforçant de paraître détendu.

La jeune fille rosit.

— Moi, je l'appelle Madame, bien entendu. Mais j'ai toujours cru qu'elle se prénommait Pamela. Sur son chéquier, il y a écrit Lady Pamela Hunter.

Il prit un air décontracté.

— Mais oui, bien sûr, Pamina est un petit nom d'enfance, rien de plus. J'ai pris l'habitude de l'appeler ainsi. Comment l'appelle son mari ? Pamina ou Pamela ?

Véronique Barbey eut subitement l'air profondément gêné.

— Son mari ? murmura-t-elle.

Silence.

Il déglutit péniblement.

— Son mari, dit la jeune fille rouge de confusion, je veux dire, Lord Redmond Hunter, est mort.

— Mon Dieu !...

— Vous ne le saviez pas ?

— Non.

— Il est mort quand Adrian avait cinq ans. Il s'est tué en voiture, près de Londres. Je ne l'ai pas connu, je suis ici seulement depuis deux ans.

Silence de nouveau.

— Je suis confus, dit-il. Vous m'évitez un horrible faux pas. Voyez-vous... Il faut que je vous dise, je n'ai pas vu Lady Hunter depuis... depuis qu'elle a deux ou trois ans.

C'était pratiquement la vérité, après tout.

— Ça alors ! fit Véronique Barbey.

— J'ai bien connu sa mère ; c'était une merveilleuse cantatrice. Elle habitait dans le même immeuble que moi, il y a trente ans. J'allais souvent l'écouter chanter. J'avais votre âge et Lady Hunter était alors une petite fille. Il me semble que ce piano lui appartenait. Ai-je raison ?

— Oui, tout à fait. Adrian m'a souvent dit que son piano lui venait de sa grand-mère française.

— Adrian joue du piano ?

— Oh ! oui, c'est un vrai petit Mozart. Il est très doué, fit-elle fièrement.

Ainsi il croisait l'Amadeus une fois de plus sur son chemin. Il le salua au passage.

— Je ne sais que vous dire, bégaya Véronique Barbey avec son air charmant de jeune fille bien élevée. Lady Hunter ne rentre pas avant au moins deux semaines, même davantage…

— Elle est en vacances ?

— Non, pas du tout. Elle est marchande de tableaux. Je crois que la Biennale est très importante pour elle. Elle y fait beaucoup d'affaires.

— Comment cela ?

— D'après ce que j'ai compris, elle veut faire connaître l'œuvre d'un jeune peintre italien. C'est à Venise, durant la Biennale, qu'elle trouvera le plus de contacts.

— Elle y va chaque année ?

— Oui, je crois, en tout cas depuis que je suis là, mais elle voyage beaucoup, vous savez. Elle part aux États-Unis au mois de mai chaque année pour les grandes ventes impressionnistes et modernes. C'est un métier très prenant. Elle n'est pas beaucoup là, alors je m'occupe d'Adrian.

— Pourquoi reste-t-elle si longtemps à Venise ?

— C'est son endroit préféré, elle me l'a souvent dit. Vous connaissez ?

— Non, hélas.

— Moi non plus, dit-elle.

Un ange passa longuement.

Véronique Barbey regarda sa montre avec le plus de discrétion possible.

— Je suis désolée, monsieur, mais je dois faire dîner Adrian. Après il doit faire ses devoirs.

— Vous ne vous ennuyez pas trop ici ? demanda-t-il encore.

— Non, non, fit-elle, un peu trop vite. Il y a beaucoup de choses à faire, vous savez. Je m'occupe de tout en l'absence de Lady Hunter.

— Vous ne devez pas souvent voir des Français.

— Ah ! ça non. Mais je le parle beaucoup avec Adrian, d'ailleurs mon anglais est déplorable.

Elle s'était levée, un peu gauche, et il comprit que l'heure de son départ était arrivée.

— Eh bien ! commença-t-il, se demandant ce qu'il allait bien faire une fois dehors, sur cette route peu fréquentée et mal éclairée.

À ce moment précis, Adrian Hunter entra dans la pièce, la tête haute, le regard fier, aussi altier que Little Lord Fauntleroy lui-même.

— Vous êtes un ami de ma grand-mère, Adrienne Duval ? lança-t-il dans un français parfait.

— C'est vilain d'écouter aux portes, Adrian, dit Véronique Barbey.

— Je n'écoutais pas, fit Adrian superbement. J'ai entendu, en passant par là. Vous ne m'avez pas répondu, monsieur.

— Je suis un fervent admirateur de ta grand-mère, et de son art.

— Eh bien ! dans ce cas, Véronique, il faut que ce monsieur reste à dîner avec nous. Je veux qu'il me parle de ma grand-mère.

Ils dînèrent dans une vaste cuisine où une autre jeune femme s'agitait, heureuse d'avoir un invité impromptu. Ce tourbillon d'excitation laissait deviner la monotonie des journées, et sa joie qu'un événement inattendu en rompit enfin l'uniformité.

Véronique Barbey mangea peu du délectable *Yorkshire pudding*, regardant sous cape l'invité, et se demandant si elle avait eu raison de le laisser partager leur repas. Où diable allait-il passer la nuit ? Elle frémit en imaginant ce qu'en dirait Lady Hunter. Ce monsieur se disait un ami de la famille. Pouvait-on le croire ? Elle le scruta avec circonspection. Il n'avait pas l'air d'être un tueur, un violeur. Venait-il kidnapper Adrian ? Elle s'étouffa derrière sa serviette portée à ses lèvres.

— Parlez-moi de ma grand-mère, dit impérieusement Adrian qui n'avait pas touché à son assiette.

— Pas avant que tu manges ton dîner, répondit l'invité surprise, qui n'avait pas perdu ses réflexes paternels devant une assiette pleine.

Adrian s'exécuta sans mot dire, à la stupéfaction de la cuisinière et de Véronique Barbey.

— Alors ? reprit-il, la dernière bouchée à peine avalée.

— Alors ta grand-mère était blonde, et souvent vêtue de noire. Elle était jolie, mais très différente de ta mère. Elle habitait avec ta maman et ton grand-père, que tu n'as pas connu, dans un immeuble de brique rouge, à Paris.

— Vous alliez souvent la voir ?

— Souvent, oui. J'allais l'écouter chanter dans un grand salon clair et ensoleillé.

— Elle chantait quoi, pour vous, ma grand-mère ?

— Elle ne chantait pas pour moi. Elle répétait, pour ses récitals.

— Et maman, elle faisait quoi ?

— Ta mère était une toute petite fille. Elle jouait aux pieds de ta grand-mère avec les franges du tapis.

— Elle était plus petite que moi ?

— Toi, tu es un jeune homme. Ta mère avait deux ou trois ans, tu vois, c'était encore un bébé.

Adrian fronça les sourcils en tentant d'imaginer sa mère à un âge aussi juvénile.

— Pourquoi alliez-vous voir ma grand-mère ?

— Parce que j'aimais la musique, et je trouvais, comme beaucoup d'autres, qu'elle avait une voix magnifique. J'habitais sur le palier d'en face, j'étais son voisin. Et puis je crois que je suis devenu un peu son ami.

Adrian le regarda fixement.

224

— Alors si vous étiez son ami, vous allez me dire de quoi elle est morte ? Personne ne veut me le dire.

À l'insu du garçon, il échangea un regard prudent et complice avec Véronique Barbey.

— Bien sûr que je peux te le dire. Ta pauvre grand-mère était bien malade, voilà tout. Comme toutes les chanteuses, elle avait les bronches fragiles. Elle a pris froid et cela lui a été fatal. Et tu sais, à cette époque-là, on n'avait pas tous les médicaments qu'on a maintenant, on n'a pas pu la soigner.

Adrian le toisa, soupçonneux.

— Mais si c'est aussi simple que cela, pourquoi me l'a-t-on toujours caché ?

— Tout simplement parce que cela fait de la peine à ta maman. Elle ne doit pas aimer qu'on en parle. N'oublie pas qu'elle a perdu sa maman très jeune, ta mère. Cela a dû être très difficile pour elle.

Le garçon eut un regard triste et vague.

— Je comprends, alors, dit-il doucement.

— C'est bien.

— Je comprends, parce que moi aussi j'ai perdu quelqu'un que j'aimais. Moi j'ai perdu mon papa. Et cela me fait de la peine quand on en parle.

Il ne sut que dire, et observa le garçon avec compassion et pitié. Véronique Barbey capta ce regard et se dit qu'un homme aussi plein de tact et de gentillesse ne pouvait en aucun cas être un assassin d'enfants. Elle adressa un signe à la cuisinière qui fit diversion en leur présentant une mousse au chocolat. Adrian retrouva son sourire et applaudit.

Parce qu'elle avait décidé de lui faire confiance, Véronique Barbey, avec l'approbation d'Adrian, lui permit de passer la nuit à Waldingborough Hall, dans une fort jolie *guest-room* décorée dans le plus pur style anglais. Pour se justifier, pourchasser les derniers doutes, elle lui dit qu'il n'y avait pas d'hôtel dans les environs et qu'il avait raté le dernier train pour Londres ; ce qui, après tout, n'était que la vérité.

C'est ainsi qu'il s'endormit, grisé, dans des draps subtilement parfumés à la lavande, sous le toit de la femme qu'il aimait. Sur la table de nuit se trouvaient quelques livres, spécialement choisis, il s'en doutait, par la maîtresse de maison à l'égard de ses invités. Il en prit un au hasard, un volume des poèmes de Shelley. Sur la page de garde, on lisait :

Pamela Churchward-Hunter
London 1983

Il contempla longuement la belle écriture décidée.

Avant de s'endormir, il eut deux pensées.

La première était qu'à cette heure même, il aurait déjà dû être à Paris, et le lendemain matin, à son bureau.

Il passa à la seconde pensée rapidement.

Il se demandait pourquoi *elle* se faisait appeler Pamela.

Puis il s'endormit paisiblement, heureux de se trouver là, comme par enchantement.

Véronique Barbey, elle, eut plus de mal à trouver le sommeil. Elle redoutait un appel téléphonique de Pamela Hunter lui demandant si tout allait bien. N'aurait-elle pas dû la joindre à Venise pour lui faire part de l'arrivée de ce mystérieux visiteur ?

De toute façon, il était trop tard.

Adrian, quant à lui, ronflait doucement dans sa nursery, serrant dans ses bras un *teddy bear* fétiche.

Il se réveilla parce qu'il sentait un regard sur lui.

C'était Adrian, perché sur le bout du lit, comme un oiseau.

— Tu ne vas pas à l'école ? lui demanda-t-il.

— Aujourd'hui il n'y a pas d'école.

— C'est un jour férié ?

— Non, c'est moi qui ai décidé de ne pas y aller.

— Ta mère ne serait pas contente.

— Elle n'en saura rien.

— Ce n'est pas bien que tu n'ailles pas à l'école.

— Oui, mais ce n'est pas tous les jours que j'ai la chance de parler autant le français.

— Tu parles quoi avec Véronique, le chinois ?

— Véronique n'a rien à dire. Avec toi, j'apprends des choses. C'est aussi bien que d'aller à l'école, non ?

— Peut-être. Et avec ta mère, tu parles quelle langue ?

— Anglais. Elle parle assez mal le français. Moi, j'ai toujours aimé le parler. Après tout, je suis bien un quart français. Tu ne te lèves pas ? Tu veux jouer avec moi ?

Ainsi, ce matin, Adrian le tutoyait.

— Je vais le faire, mais je voudrais d'abord téléphoner à ma fille, avec ta permission, puisque tu es le maître de maison.

— Tu as une fille, toi ? dit Adrian, incrédule.

— Oui, j'ai une fille, moi.

— Elle a quel âge ?

— Dix-neuf.

— Alors c'est une vieille.

— Beaucoup plus vieille que toi.

— Moi j'ai dix ans et demi.

— Moi je ne te dirai pas mon âge parce que tu vas me prendre pour ton grand-père.

— Qu'est-ce que tu vas lui dire à ta fille ?

— Tu es bien trop curieux, cela ne te regarde pas.

— Comment s'appelle-t-elle ?

— Je te le dirai si tu me laisses seul. J'ai besoin de lui parler, tu comprends ?

— Je t'ennuie, c'est ça ?

— Non, mais tu dois me laisser seul quelques instants. Après je viendrai jouer avec toi, d'accord ?

Adrian sauta du lit sans dire un mot. Il sortit de la pièce et claqua la porte.

Il composa le numéro de son ex-femme sur le téléphone qui se trouvait près du lit.

— Camille est en cours, comme tous les lundis matin. Où donc êtes-vous ? Cela fait trois jours que nous cherchons à vous joindre.

— Je suis à Londres, enfin près de Londres.

— Décidément, vous vous êtes trouvé une âme de pigeon-voyageur, après celle de mélomane.

228

Il ignora l'ironie dans sa voix.

— Dis à Camille, s'il te plaît, que tout va bien, et que je rentre à Paris très vite.

— Mais quand ?

— Je ne sais pas. Disons demain.

Il raccrocha rapidement avant qu'elle puisse lui poser trop de questions.

Il aurait pu, alors, appeler son bureau, prétexter un ennui de santé, genre intoxication alimentaire, ou un pépin quelconque : fuite de gaz, dégâts des eaux dans l'appartement.

Mais il ne le fit pas, par lâcheté, par paresse.

Lorsqu'il descendit le grand escalier de bois, il entendit le murmure familier d'un piano. Il se laissa guider.

Puis il perçut une étonnante petite voix, haute et claire, aussi pure que du cristal, qui chantait l'air de Cherubino :

Voi che sapete che cosa è amor...

11

Quel étrange et beau spectacle, ce gosse caché derrière le grand piano noir, chantant d'une voix qui me
fit frissonner tant elle me rappelait celle de sa grand-
mère ; même limpidité, même clarté, même résonance
sensuelle !

Il jouait à merveille ; Véronique Barbey n'avait
pas exagéré en vantant les talents de son protégé. Je
regardais ses petites mains écorchées et malmenées
de jeune garçon papillonner gaiement sur le clavier
avec une étonnante adresse. Il se doutait bien de ma
présence, même s'il n'avait pas levé la tête, car il en
rajoutait, comme un petit singe savant qui connaît trop
bien son numéro.

Brusquement il referma le clavier et se tourna vers
moi en pivotant sur son tabouret mobile.

— Aimez-vous Mozart ? me demanda-t-il.

Retour au vouvoiement.

— Oui, j'aime Mozart, et j'ai appris à le connaître
depuis peu.

— Ici, nous aimons tous Mozart, ma mère surtout.

— Je le sais. Tu chantes bien.

— Je le sais, dit-il, sans orgueil. Mais cela ne va pas durer.

— Pourquoi ?

— Parce que ma voix va muer, et je ne pourrai plus chanter des airs pour soprano ou mezzo.

— Mais tu pourras chanter des rôles d'hommes pour ténor ou baryton.

— Ce n'est pas la même chose. Je trouve qu'une voix de femme ou de jeune garçon est beaucoup plus émouvante que celle d'un homme. Pas vous ?

— C'est vrai, fis-je, étonné de sa précoce maturité.

— J'aime moins les voix d'hommes dans les opéras. Je déteste par-dessus tout les hautes-contre.

— Ce timbre ne te plaît pas ?

— Pas du tout. On dirait des travelos qui essaient d'avoir une voix de femme. C'est impossible. Ils n'égaleront jamais un contralto féminin.

— Tu es bien catégorique.

— Je dis ce que je pense. Pourquoi forcer sa voix à faire ce qu'elle ne peut pas faire ? Vous imaginez ma grand-mère chantant Leporello ?

L'idée qu'Adrienne Duval puisse travestir son sublime timbre de soprano lyrique en celui de basse bouffe plaisantin me parut être une hérésie.

— En effet, j'ai du mal. Mais toi, tu chantes bien des rôles de femme.

— Cherubino n'est pas une femme, fit Adrian froidement.

232

— Peut-être, rétorquai-je, mais son rôle est toujours chanté par une mezzo, ou une soprano.

— Vous avez raison, reprit-il. Mais je maintiens que c'est un homme.

— Égalité ! dis-je, en espérant rompre l'atmosphère un peu tendue.

Mais il soupira avec lassitude.

— De toutes manières, cela n'a pas d'importance. Je vais muer et je ne pourrai plus chanter Cherubino. À l'école, l'année dernière, avec notre professeur de musique, nous avons monté une représentation de *La Flûte enchantée*, enfin des extraits. J'étais l'un des trois génies. Je monte très haut, vous savez, jusqu'au contre-si bémol. Ma grand-mère elle, montait jusqu'au contre-la. Elle avait un registre de trois octaves.

— Ta grand-mère était très douée.

Adrian descendit de son tabouret.

— Tu ne m'as toujours pas dit le nom de ta fille.

Retour enfin au tutoiement.

— Elle s'appelle Camille.

— C'est un drôle de nom pour une fille. Je croyais que c'était un nom pour garçon ?

— Cela peut être pour les deux. Mais elle le porte très bien.

— C'est rigolo, comme nom, je trouve, lança-t-il en riant comme un enfant, comme l'enfant qu'il était.

Véronique Barbey fit irruption parmi ses éclats de rire.

— Je vous cherchais, dit-elle, en rougissant délicatement. Le petit déjeuner est servi. Avez-vous bien dormi ?

— Merveilleusement.

Nous nous dirigeâmes vers la cuisine, précédés d'un Adrian chantonnant et gambadant.

— Il n'a pas voulu aller à l'école ce matin, me chuchota-t-elle. Il a fait un caprice incroyable pour rester avec vous. Je n'ai pas pu le raisonner.

— Ce n'est pas grave, pour une fois. Mais ne le dites pas à sa mère.

— Certainement pas !

— Et à ce propos, Véronique (l'usage de son prénom la fit rougir davantage), je préfère que vous ne parliez pas de ma visite à Lady Hunter pour l'instant. Je veux vraiment lui faire une surprise. Je pense que si vous lui apprenez, cela gâchera tout.

— Je comprends tout à fait, dit-elle. J'en parlerai au petit pour qu'il ne dise rien à sa mère. De toute façon, il la voit si peu, et elle est si pressée au téléphone.

Durant le petit déjeuner, Adrian me demanda si j'avais l'intention de partir dans la journée.

— Je ne sais pas. C'est moi qui t'ennuie maintenant ?

— Pas du tout, s'empressa-t-il de dire. J'aimerais bien que tu puisses rester plus longtemps.

— Moi aussi, mais il me faut rentrer à Paris. Je dois aller travailler, comme toi tu dois aller à l'école.

— C'est quoi, ton travail ?

Je le lui dis.

Il fit la grimace.

— Ça a l'air vachement ennuyeux. Tu ferais mieux de rester ici avec nous.

— Adrian, on ne fait pas ce genre de commentaires, dit sévèrement Véronique Barbey.

— Rien de grave, dis-je. Hélas, il a raison.

Je quittai Waldingborough Hall le lendemain matin, laissant derrière moi, sur le quai de la petite gare de Sunninghill, un garçon blond et une jeune fille rousse qui me saluèrent de la main jusqu'à ce qu'ils disparaissent de ma vue.

Adrian Hunter m'avait ému, pas seulement parce qu'il était le fils de Pamina : je l'avais trouvé infiniment attachant. Je dus admettre, non sans un certain étonnement car j'avais toujours cru préférer une fille, que cela m'aurait plu d'avoir un fils comme lui. Pourquoi, d'ailleurs, nous étions-nous arrêtés de procréer après la naissance de Camille ? Pourquoi n'avions-nous pas eu d'autre enfant ? Il me semblait que je n'avais jamais abordé ce sujet avec mon ex-femme. Pourtant, nous avions disposé de tout le temps nécessaire pour le faire, ce numéro deux. Le divorce qui scella la fin de notre mariage était survenu après presque vingt ans de vie commune, boulevard des Batignolles. Peut-être étais-je un mari volage, je n'en étais pas moins un époux conscient de son devoir conjugal. Ce n'était pas parce que j'honorais les femmes des autres que je répudiais la mienne. Mon ex-femme avait-elle alors été victime d'une stérilité cachée ? Ou était-ce moi, le coupable, porteur d'une semence devenue infertile ? Et Camille, pudique, n'avait jamais dû oser nous demander pourquoi nous ne lui avions pas donné de frère ou de sœur.

Je pensai à ce petit garçon emmuré dans la vaste maison glaciale, meurtri par la mort anticipée de son père et les absences prolongées de sa mère. Cette demeure m'avait paru belle, mais sans âme, et l'enfant devait en souffrir, malgré la présence réconfortante de la gentille Véronique Barbey, qui devait lui passer toutes ses extravagances.

« Papa n'aimait pas le nom Pamina, m'avait-il confié en réponse à ma question. Il trouvait que c'était un prénom idiot. Alors il l'appelait Pamela. Elle a fait changer tous ses papiers. Je crois que plus personne ne l'appelle Pamina maintenant. »

Ainsi, Pamina Churchward se nommait Pamela Hunter. Ce fut déjà troublant de constater qu'elle portait le nom d'un autre, mais voilà que son prénom, aussi, se métamorphosait, et cette transformation nominale ne me plaisait guère.

« Au revoir, m'avait dit Adrian Hunter sur le quai. Tu crois qu'on se reverra un jour ?

— J'aimerais beaucoup.

— Tu m'oublieras. Et tu ne voudras plus jouer avec moi.

— Je ne t'oublierai pas. Cet après-midi, il faut que tu retournes à l'école.

— Cet après-midi tu m'auras déjà oublié. »

Mais non, Adrian, je ne t'oublierai pas. Ni toi, ni ta grande maison, ni le léger parfum féminin qui y flottait et n'était pas celui de Véronique Barbey. Les jeunes filles de bonne famille ne portent qu'une discrète eau de Cologne. La senteur que je flairais était ambrée, vanillée, avec un zeste de cannelle, le parfum d'une femme décidée et scintillante. J'étais convaincu que c'était celui de Pamina.

Pas de risque, non plus, d'oublier son adresse :

Hôtel Gritti
Venise

Il y a quelques endroits, comme celui-là, qui possèdent une assonance féerique : Rio de Janeiro, Le Caire, Île Maurice, chutes du Niagara, Mikonos, Darjeeling, par exemple. Des lieux qui font rêver, comme lorsqu'on étudie, gamin, à la leçon de géographie, un globe terrestre multicolore aux pays inaccessibles, aux mers rouges, noires et mortes, aux noms évocateurs, aux métropoles méconnues, aux cités englouties.

En arrivant à Paris, tard dans la soirée, je trouvai une lettre de mon patron. Il me convoquait pour le lendemain matin, à dix heures trente précises. Je me doutais bien qu'il voulait des explications concernant mes absences inexpliquées de ces derniers jours. Le ton grave voulait me mettre en garde. Mon patron estimait qu'il avait fait preuve à mon égard de beaucoup de compréhension. Si je ne me ressaisissais pas, je risquais de perdre mon poste…

Cela ne me fit pas le moindre effet.

J'appelai Camille pour lui dire que le lendemain matin à dix heures trente, je partais pour Venise.

En attendant l'avion, retardé pour cause de brouillard, je relus une lettre d'Iris Gapine, et fus agréablement surpris de sa tendresse et de son degré d'intimité.

M'aimait-elle donc ? D'après ce qu'elle laissait entendre, oui. Mais je ne devais pas être le seul. Iris Gapine était de cette race de femelle – ô combien délicieuse – qui se donnait avec une générosité hors pair, et je me doutais bien que je devais faire partie d'un important troupeau de mâles qu'elle titillait en adroite et charmante bergère derrière le dos de son jeune cocu de mari.

Et je n'étais sûrement pas le seul non plus à recevoir de telles épîtres, écrites d'une main libertine, où, après avoir apposé sa signature, suivie d'un petit cœur coquin, elle vaporisait quelques exhalaisons de sa pondéreuse fragrance charnelle sur l'enveloppe cachetée de son rouge à lèvres. Dès réception, cet onguent insolent se libérait de son emballage tel le génie de la lampe d'Aladin, ou les secrets de la boîte de Pandore, et le destinataire, saoulé de cette puissante essence féminine, se remémorait les nuits torrides passées à faire catleya avec la polissonne Iris.

Sans remords, je jetai la lettre dans une des poubelles de l'aéroport, me détachant du souvenir des étreintes moites et savantes de cette galante dame.

Dans l'avion (qui décolla avec plus de quatre heures de retard), une pensée incongrue me visita. Sans doute

238

aguiché par les propos salaces de cette licencieuse lettre, j'en vins à penser, tout naturellement, aux choses de l'amour et du sexe, et me demandai, pour la première fois de ma vie, si j'avais été, lors de ma conception, le fruit d'une union réussie. Plus prosaïquement, mes parents avaient-ils eu du bon plaisir durant le coït qui me créa ? Ou m'avaient-ils fait dans le noir, tristement, la tête pleine d'abstraites pensées ou de concrètes cogitations : impôts à payer, baignoire qui fuit, soucis professionnels ; le corps las, les gestes automatiques ?

Sommes-nous tous dépendants de l'humeur de nos parents durant l'acte sexuel qui nous a fabriqués ? Les saillies fougueuses font-elles des enfants optimistes ? Les copulations neurasthéniques donnent-elles naissance à des rabat-joie ? Un bébé issu d'une fornication céleste sera-t-il plus heureux qu'un braillard dont la mère n'a pas joui et dont le père n'a fait que son strict devoir de géniteur ?

Je poursuivis cette drôle d'idée en souriant.

Dans quelle position fus-je engendré ? Celle du missionnaire, mon père ahanant sur ma mère inerte, tous deux dissimulés sous des draps puritains ? Ou alors ma mère s'était-elle déchaînée sur le corps de mon père, le chevauchant telle une Walkyrie débridée, chemise de nuit retroussée, poitrine ballottante ? Peut-être avaient-ils eu un accouplement folâtre dans la salle de bains ?

Je chassai rapidement de ma tête ces images devenues trop graphiques. C'est bien connu, nos parents n'ont jamais fait l'amour. Nous sommes tous nés d'une immaculée conception.

Venise, pour moi qui ne la connaissais pas encore, n'était qu'un splendide cliché, le Disneyland du voyage de noce, le paradis des ponts qui soupirent et des lions ailés, le mirage menacé visité par de vieux touristes fatigués qui, comme Aschenbach, viennent y mourir parmi les pigeons de la Piazzetta. Pauvres mortels qu'on n'enterrera certainement pas à côté des demi-dieux de San Michele, dans cette île des morts aux silencieux cyprès qui veillent sur le sommeil éternel de quelques illustres dépouilles.

Il est tard dans l'après-midi quand j'arrive à Venise. Je suis las, et je ne la vois pas. Le bruit pétaradant du *vaporetto* m'agresse. Une humidité palpable se colle aux pores de ma peau et s'infiltre dans mes bronches. Pour survivre dans cette ville aquatique, il faut indéniablement avoir les orteils palmés et l'épiderme imperméable.

Je ne vois rien de la ville tant je pense à Pamina. Je me trouve enfin dans le même endroit qu'elle, nous respirons le même air chargé de bruine, nous entendons les mêmes clapotis et les mêmes vrombissements et nous contemplons tous deux ce ciel sombre, ces reflets ondulant sur le canal. Ce n'est rien que cela, et c'est déjà presque le bonheur.

Je peste intérieurement, rêvant d'un bain, d'un repas, d'un verre de vin, d'un lit. À la recherche de ces derniers éléments devenus indispensables à mon bien-être, je m'aide d'un petit guide acheté à la hâte à Marco Polo.

Je crains le pire car Venise est un de ces lieux bondés qui ne désemplissent jamais. Pourtant, ce jour-là, la chance me sourit, et je finis par trouver une petite chambre dans une *pensione* modeste du Dorsoduro. Là, je me repose quelques heures après une douche un peu trop tiède. La patronne, qui a pitié de mon air hagard, m'indique un restaurant à proximité où je pourrai dîner rapidement.

Je prends ainsi mon premier repas dans la Cité des Doges, entouré de touristes allemands bruyants, de serveurs indifférents, en noyant ma solitude dans un valpolicella trop épais. Je retourne à la *pensione*, pratiquement ivre, la tête bourdonnante, l'estomac retourné.

Ainsi débuta ma première nuit à Venise, marquée d'un sommeil agité.

Je m'imagine alors depuis longtemps à Venise sans avoir réussi à retrouver Pamina. Chaque jour, je suis persuadé de voir sa haute silhouette surgir à chaque coin de *campo, sottoportego, salizzada, fondamenta*. À force de la chercher, j'ai appris à connaître le dédale des rues par cœur. Nul besoin d'un plan, ou d'un guide. Je marche du même pas fier et rapide que les Vénitiens, et les *gondolieri* ne me lancent jamais ces « Gondola ? Gondola ? » railleurs qu'ils réservent aux vulgaires touristes.

Je suis invité aux fêtes les plus somptueuses, dans les plus beaux *palazzi*, et, comme Lord Byron, il m'arrive de traverser le Grand Canal à la nage, à minuit, au clair de lune, mes vêtements roulés en boule sur ma tête.

La nuit, j'aime me promener en gondole, pas le long des circuits touristiques du Rialto ou de San Marco, où les gondoles surchargées de touristes armés de flashes se heurtent comme des autos tamponneuses, mais sur ces petits canaux noirs et secrets que mon gondolier veut bien me dévoiler, et où notre gondole s'insinue, gracieuse et silencieuse.

En fermant un peu les yeux, je parviens à me persuader qu'*elle* se trouve à mes côtés ; avec un petit effort, je sens la chaleur de sa main dans la mienne, je respire la sensualité épicée de son parfum. Il n'y a pas de bruit à part le long et étrange cri de mise en garde que chante le gondolier à chaque coin de *rio*, et le clapotis régulier de l'immense rame. Ces petits canaux sont si sombres et si étroits que les hauts palais qui les bordent, dont on n'aperçoit aucune lumière aux fenêtres en ogive, semblent se pencher vers nous et vouloir nous toucher. La lune nous éclaire d'une clarté opaline. Je devine *son* regard vert dans la pénombre, et je suis l'homme le plus heureux du monde.

Mais pas pour longtemps.

Il me faudra bien reconnaître que je suis sans *elle* dans cette gondole, aussi sinistre et lugubre qu'un cercueil, que le gondolier s'ennuie et bâille derrière moi, que ma quiétude est brutalement rompue par les notes stridentes d'un accordéon, et qu'une odeur fétide d'eau stagnante me soulève le cœur.

Suivent les fragments d'un discours imaginaire ou l'ébauche d'une ouverture.

« J'ai bien connu votre mère.

J'ai habité votre immeuble.

Je suis un copain de votre fils.

Je suis un ami de Jessica Parker, qui aimerait avoir de vos nouvelles.

Ne trouvez-vous pas que Don Ottavio est une guimauve et Doña Anna une garce ?

Je vous connais depuis que vous avez trois ans.

Vous avez le bonjour de Andy le *doorman*.

Harry de Ladbroke Grove vous trouve tout à fait à son goût.

J'ai beaucoup apprécié les poèmes de Shelley que vous avez mis dans la chambre des invités.

Sharon Gardiner m'a dit qu'elle vous étriperait.

Une perle, cette Véronique Barbey.

Vous ne savez pas qui je suis, mais je vous aime. »

« Je voudrais vous épouser, Pamina, à Venise, le jour de la fête de la Sensa, le dernier dimanche de mai, où l'on célèbre le très ancien mariage de la ville avec la mer. Nous embarquerions avec le Doge, coiffé de son *corno* d'or, sur la galère d'apparat de la Sérénissime, le *Bucintoro*, mais au lieu de jeter mon alliance nuptiale dans l'Adriatique comme le voudrait la coutume, je la passerais à votre doigt, tandis qu'une foule immense nous acclamerait de la Riva degli Schiavoni aux Zattere. »

Je m'imagine aussi devant le petit *palazzo* vieux rose et croulant où nous avons habité, Pamina et moi, dans le plus paisible des six *sestieri* de Venise, le Dorsoduro, hors des sentiers battus, là où les touristes ne s'aventurent que rarement.

Je l'ai retrouvé sans peine, notre joli petit palais, en traversant le Campo San Trovaso pour prendre à droite la Fondamenta Bonlini, puis à droite encore, avant le pont, dans la Fondamenta di Borgo. Il est là, au coin du Rio Malpaga et de la Toletta.

Notre *palazzo* était divisé en trois parties. Nous occupions le dernier étage, trois grandes pièces qui dominaient les toits roux et les cheminées coniques.

Au second vivait un dénommé Beppe Ruspolini, la quarantaine charmeuse, au sourire sensuel et aux beaux cheveux noirs gominés à la Valentino, qui se disait collectionneur d'objets d'art et représentant vénitien d'une célèbre maison britannique de ventes publiques. Son élégance vestimentaire, son babillage mélodieux nous amusaient. Il faisait bien sûr la cour à Pamina, comme tout Italien qui se respecte.

Je me souviens du parfum mâle qui flottait autour de lui, savant mélange de tabac blond et d'une eau de toilette anglaise, et de l'étonnante variété de pochettes multicolores qui ornaient ses blazers à la coupe irréprochable et paraissaient dévoiler son humeur du jour ; si bien que Pamina et moi avions établi un code secret afin de sonder ses dispositions d'esprit. Pochette rose : joie et gaieté ; verte :

contrariété ; jaune : espièglerie ; rouge : séduction absolue ; bleue : déprime.

Beppe semblait être l'homme le plus convoité et recherché de la ville. Le miroir au-dessus de sa cheminée était constellé d'invitations. Il ne dînait pas un soir chez lui, à moins d'y convier des hôtes de marque. Ce captivant *galantuomo*, reçu à bras ouverts par le Tout-Venise, distribuait des baisemains adroits dans le *traghetto*, sans jamais perdre son équilibre et risquer de tomber dans le Grand Canal.

Beppe était mal vu de l'occupante du *piano nobile* – l'étage noble, le premier – je veux parler de la formidable dame Pearl Honeycutt, originaire de Boston, Massachusetts, mais vénitienne d'adoption depuis plus d'un demi-siècle et qui supportait mal, du haut de ses quatre-vingt-cinq ans, que ce godelureau de Ruspolini fût plus demandé qu'elle.

Persuadée d'être la réincarnation de Peggy Guggenheim et la dernière légende vivante de Venise, elle prétendait avoir découvert le Harry's Bar avant Hemingway. Du vivant de son richissime mari, elle habitait le palazzo Vendramin Calergi, celui où Wagner mourut en 1883. Pauvre dame Honeycutt devait maintenant se contenter d'une demeure bien plus « humble », ravagée chaque hiver par les *acque alte* et l'humidité. Veuve depuis des années, elle se consolait auprès de sa cousine Phyllis au physique si ingrat qu'elle était restée fille, en lui racontant des anecdotes du temps de sa splendeur, quand elle était la reine incontestée de Venise.

Que sont devenus Beppe, dame Pearl et Phyllis ? Se souviennent-ils de nous ?

Beppe vous dirait que Pamina était *bellissima* et, avec une pointe de condescendance, que j'étais un gentil garçon.

Dame Honeycutt aurait du mal, comme toute vieille dame, à se souvenir de nous, mais lorsque Phyllis lui aurait chuchoté à l'oreille que Pamina était la très grande demoiselle blonde qui laissait toujours un bol de lait devant sa porte pour leurs chats, cela lui reviendrait. Et elle vous dirait que nous étions très amoureux.

Nous nous promenons près de Santa Maria dei Miracoli.

Les rayons du soleil se reflètent sur le mince canal qui longe l'église verte et rose. Alors que nous nous engageons dans la Calle Castelli, Pamina lâche ma main et s'enfuit en riant. Je ne parviens pas à la suivre, elle semble patiner, tant elle va vite.

J'erre à sa recherche, perdu, peiné, le long des Zattere, sous un soleil étrangement brûlant, regardant les allées et venues incessantes des *vaporetti* et des *motoscafi* qui zigzaguent sur le canal de la Guidecca.

Un cargo blanc passe lentement, impérial et grandiose, masquant les églises des Zitelle et du Redentore sur l'autre côté du canal, laissant derrière lui de gros nuages de fumée noire vite dispersés par le sirocco et un sillage qui, tel un raz de marée, sème la zizanie en faisant follement tanguer les petits bateaux. Arrivé devant la Pointe de la Douane, il émet plusieurs avertissements sonores, saluant ainsi la Sérénissime avant de se diriger au-delà du Lido, vers le grand large.

Je m'assieds, désemparé, à la terrasse d'un café. Près de moi, des jeunes mariés fort laids s'embrassent avec euphorie, admirent leurs alliances neuves. Plus loin, un petit vieux, dont la posture apathique me rappelle mon père après la mort de ma mère, regarde, morne et désolé, sa glace fondre au soleil.

Plus tard, la nuit tombée, je *la* cherche toujours, quelque part dans le Cannaregio. Venise fait semblant de dormir, mais elle me surveille du coin de l'œil, s'amuse de mon tracas.

Je n'ai plus le cœur à me laisser abuser par cette comédie, et je décide de rentrer à la *pensione*, démoralisé. Venise a dû prendre peur, comprendre que je n'ai plus envie de jouer à la chasse au trésor, car voici, en guise de récompense, l'ombre de Pamina qui déboule soudainement devant moi, avec la précision d'un acteur qui entre en scène.

Que faire sinon la suivre à travers le labyrinthe des petites rues sombres ? Je tente de la rattraper, mais sa silhouette file devant moi, sa longue cape noire fouettant les murs qui nous enserrent. Je vois, à la lumière fugace d'un lampadaire fatigué, l'éclat de ses cheveux d'or et devant elle, au-dessus de sa tête, la fin de cette *calle* en forme de boyau, et le dos rond d'un petit pont.

Je parviens enfin à saisir ses épaules, à la plaquer contre le mur. En voyant son sourire insolent, j'ai envie de la meurtrir, de la frapper. Mais je ne peux que plaquer mes lèvres sur les siennes, retenir cette bouche vorace que je ne veux plus quitter tant j'y puise tout : ma vie, mon oxygène, ma raison d'être. Je cherche à lacérer sa cape afin d'accéder au plus vite à sa peau nue, à ses seins que je prends à pleines mains, à pleine bouche tel un homme affamé depuis des mois, à la toison opulente de son sexe où j'entortille des doigts fébriles, cherchant à me guider d'un mouvement fluide dans cet étau onctueux et chaud ; mais elle se dégage et fugue de nouveau, me laissant pantelant et désœuvré, sous le regard narquois de Venise et de ses chats.

Alors, pour tromper ma douleur et calmer ma peine, j'imagine que je navigue seul sur le Grand Canal, et que je contemple les fenêtres illuminées des palais, les lumières fantasques qui miroitent sur les eaux mouvantes du Canal.

Tandis que je glisse en douceur sur cette eau obscure, en me demandant qui a vécu et qui habite encore dans ces divines demeures, j'entends la voix de Leporello, et, en me retournant, je vois qu'il a pris place dans mon bateau. Il me montre les palais et, en guise de réponse à mes interrogations, me chante :

Contadine, cameriere, cittadine
contesse, baronesse, marchesane, principesse !

Nous découvrons alors dans l'un des palais un bal extraordinaire. Des bougies brillent à toutes les fenêtres et, sur le *portego*, des laquais vêtus de blanc accueillent les invités masqués qui arrivent en gondoles recouvertes de petites cabines noires.

« *Felza*, me chuchote mon ami Leporello, pour voir et ne pas être vu. »

Je guide mon esquif vers ce palais scintillant afin que nous puissions admirer les invités. J'aperçois Beppe, facilement reconnaissable malgré son domino, dansant un menuet avec deux femmes masquées. Leporello me désigne du doigt Doña Elvira et Doña Anna, parées de robes somptueuses.

Je crois voir enfin Pamina, dépassant toutes les autres d'une tête, le visage dissimulé derrière une *bauta*, et je reconnais tout de suite ses épaules larges et fines, son dos long et souple et le catogan de velours noir qui se déploie, tel un immense papillon sombre sur la masse dorée de sa lourde chevelure. Il y a beaucoup d'hommes autour d'elle, qui la dévorent du regard, et désirent sa chair appétissante, sa bouche ourlée, ses courbes exquises. Je voudrais pouvoir les fusiller un à un pour qu'elle n'appartienne qu'à moi.

« Regarde-la, Leporello. Il n'y a que moi qui aie le droit de goûter à la saveur de ses lèvres. »

Mais il ne dit rien, et me regarde étrangement, comme s'il ne me croyait pas.

12

Il se réveilla tard, vers midi.

Il entendait des rires et des pas rapides. Il se leva péniblement pour regarder par la fenêtre. Le soleil brillait sur une petite place blanche, ornementée d'un puits en marbre sculpté autour duquel jouaient quelques enfants.

Il se dit qu'il avait passé une drôle de nuit, pimentée de fantasmes dignes de son adolescence lorsqu'il se réveillait abruti et honteux dans des draps maculés par ce que son père appelait sentencieusement les « pollutions nocturnes » ou les « péchés de la nuit ».

Venise vibrait, ne s'occupant guère de lui, du rythme inaltérable de sa vie quotidienne : l'invasion des touristes par la Piazzale Roma, l'ouverture des restaurants, l'animation colorée des marchés…

Il marchait lentement, ankylosé par sa nuit mouvementée. Il se perdit souvent. Cette ville lui semblait être le contraire absolu de la rigoureuse et logique géométrie new-yorkaise. Là-bas, on savait toujours où se diriger, ici, c'était le royaume du cul-de-sac, de l'impasse, de la voie sans issue, du petit *campo* où l'on aboutit cent fois par hasard et qu'on ne parvient plus à retrouver quand on le désire. Venise riait de son trouble, de le voir tourner en rond, scruter le nom des rues et des places sur des enseignes à moitié effacées par le temps et les intempéries, tenter de se situer sur un plan dérisoire à l'usage des touristes qui n'ont que vingt-quatre heures pour visiter Venise, ces lieux regorgeant d'autres globe-trotters pressés, et quitter la ville, la nuit tombée, après avoir abandonné papiers gras et canettes de bière sur la Piazzetta, les valises bondées de gadgets.

Il réalisa que ce plan était inutilisable. Mais était-il possible de reproduire sur une carte cette ville cabalistique aux artères sibyllines et multiples ? Jetant le plan, il erra, avec le regard vitreux d'un somnambule, traversa le Ghetto aux hautes maisons obsolescentes comme dans un songe, franchit la place Zanipolo dans un demi-sommeil, se traîna jusqu'à l'Arsenal, toujours engourdi par une torpeur tenace.

Pamina, alors qu'elle n'avait jamais été si près physiquement, lui semblait inaccessible. Un opiniâtre marasme l'avait englué dans un piège léthargique.

Et il ne savait pas s'il disposait de l'énergie nécessaire pour en sortir.

252

De cette première journée vénitienne, il ne se rappela presque rien, victime d'un spleen inopportun, sauf d'avoir marché interminablement dans un lacis amphigourique au point de voir naître sur ses pieds meurtris de grosses cloques rouges et douloureuses, l'obligeant à claudiquer comme Quasimodo, le sonneur de Notre-Dame. Ne parvenant pas à se débarrasser de cette morosité débilitante, dévoré par une culpabilité croissante, il se dit qu'il ne retrouverait jamais Pamina de cette manière. Elle n'allait tout de même pas lui tomber du ciel sur un plateau d'argent !

Et puis il avait peur d'aller au Gritti (qu'il avait vite situé au bord du Canal et lorgnait avec appréhension chaque fois qu'il l'apercevait) et de demander Lady Pamela Hunter. Pourtant c'était d'une simplicité enfantine. Mais dans son état, il lui était impossible de se défaire de cette pusillanimité, de pousser la porte, de se diriger vers la réception, d'oser prononcer son nom.

Alors une seconde journée passa, interminable, semblable à la première. Il visita sans grande ardeur les pavillons de la Biennale aux Giardini Pubblici, espérant l'entrevoir parmi une foule élégante qui le bouscula.

Irrité par cette cohue, il quitta le Castello pour se diriger vers le nord-est et le Cannaregio, évita le pullulement de San Marco et tomba en arrêt devant l'église Santa Maria dei Miracoli, pareille à celle de son rêve.

L'apparition féerique de la façade porphyrique et marbrée, émergeant d'un petit canal où se reflétait son harmonieux alliage rose et vert, lui apporta une première touche de joie.

Longtemps il resta à contempler la petite église aux formes rondes, s'émerveilla de l'acuité visuelle de son rêve. Il s'attendait presque à voir Pamina monter sur le pont, enveloppée de sa cape noire.

Le bonheur qu'il ressentait lui semblait comparable à celui qu'il avait goûté en identifiant l'air d'Adrienne Duval. Comme un enfant qui apprend à lire et reconnaît progressivement les lettres de l'alphabet, ces découvertes, parce qu'elles comportaient un élément de familiarité, multipliaient son plaisir. Il pouvait calquer la vision de Miracoli sur quelque chose qu'il avait déjà vu, même dans un songe.

Il ressentit inopinément le désir impérieux, l'envie vitale d'écouter de la belle musique. Ses oreilles, aussi avides qu'une bouche affamée, se tendaient pour capter quelques notes d'une symphonie imaginaire. Que n'aurait-il donné pour entendre la voix d'Adrienne Duval en contemplant Miracoli, se régaler de ces accords parfaits qui épouseraient en toute eurythmie les rondeurs pures de l'église ?

Il prit une place pour le soir même à la Fenice.

Mais il avait dû mal comprendre le programme de la soirée. Il se rendit compte avec consternation qu'il assistait à la pièce contemporaine d'un dramaturge autochtone, et non pas à *Lucia di Lammermoor*. Cette représentation ultra-moderne, en version originale, l'ennuya beaucoup.

Pour se distraire, il regarda discrètement autour de lui, intrigué par la décoration rococo du théâtre, ses boiseries dorées finement taillées, ses plafonds décorés de couleurs claires et éclatantes, cette frivolité inattendue masquée par la sévérité trompeuse de la façade extérieure.

Ce décor opulent mettait en valeur les Vénitiennes, très attentives, elles, au spectacle, ce qui lui permettait de les observer ouvertement sans risquer de passer pour un goujat. Illuminées par la clarté mordorée des projecteurs, il lui sembla, ce soir-là, que leur beauté légendaire n'avait rien d'un mythe. Lors de ses marches solitaires, il n'avait pas remarqué d'aussi belles créatures. Où se cachaient-elles donc ? Voici qu'elles se trouvaient toutes réunies, semblait-il, pour son plus grand plaisir. Maquillées et coiffées avec cet art qui n'appartient qu'aux Italiennes, et que même l'inimitable Parisienne a du mal à égaler, elles scintillaient de mille feux. Il comprit l'étendue des hommages qu'on leur rendait. Elles étaient donc là, ces Vénitiennes que tant de peintres avaient aimées du bout de leurs pinceaux, ces muses au port de tête princier, à la peau lumineuse et crémeuse, aux yeux sombres, à la chevelure auburn tressée de perles et de rubans !

À la fin de la représentation, il fut étroitement mêlé à un flot parfumé et poudré, et ne se lassa pas de regarder ces séduisantes Vénitiennes qui, dès le rideau baissé, avaient abandonné leur placide concentration pour retrouver leur vivacité si particulière, parlant avec leurs mains, renversant la gorge pour rire haut et fort, l'enivrant de cette toute-puissante féminité.

Venise lui avait fait perdre la notion du temps. Oubliés le stress parisien, le capharnaüm new-yorkais, les heures de pointe, les embouteillages, la crasse, la saleté, le bruit, la pollution. Ici la vie s'écoulait subrepticement comme le flux et le reflux de l'Adriatique, aussi inaltérable que la cadence régulière du ressac.

Il s'ouvrait enfin à Venise, ses défaillances des premiers jours s'amenuisant peu à peu.

Venise lui souriait, étendue sur sa lagune comme un point d'exclamation entre terre et ciel.

À l'Accademia, il alla se mêler à la cavalcade des touristes, regarda vaguement les toiles, s'arrêta en face de la *Tempête* de Giorgone à cause de l'attroupement permanent que provoquait ce tableau (comme l'agglomération devant la *Joconde* au Louvre, pensa-t-il), sachant toutefois que son œil n'était pas assez exercé pour en tirer une véritable jouissance artistique.

Les touristes l'amusaient plus. Il jouait à repérer ceux qui voyaient Venise pour la première fois, l'appareil photo vissé à l'arcade sourcilière, exténués par un long voyage, se gavant d'images comme on dévorerait en cinq minutes un repas pantagruélique, traînant des enfants fatigués, indifférents et braillards.

Et parmi cette foule à l'échine lasse, au regard qui « zoomait » sans cesse sur le Campanile, San Giorgo Maggiore, un pigeon dénué d'intérêt, un gondolier photogénique, il apprit à reconnaître les Vénitiens, les vrais, qui d'un pas rapide et efficace franchissent ces barrages humains, le regard hautain, la bouche dédaigneuse, navrés de cette invasion quotidienne qui les empêche de se promener tranquilles, de faire leurs courses dans une ville qui n'est plus la leur, mais qui a le privilège ou le malheur d'appartenir au monde entier.

Le mépris du touriste faisait qu'il voyait rarement les natifs de la lagune s'aventurer dans les lieux d'affluence. Grâce à la bonne disposition de la patronne de sa *pensione*, il avait pu localiser les repaires secrets de ces Vénitiens repliés sur eux-mêmes, ces restaurants cachés où ils se retrouvaient pour dîner loin de la foule. Il s'était fait renvoyer de plusieurs établissements sous prétexte qu'il n'avait pas réservé – alors qu'il apercevait au-dessus de l'épaule arrogante du maître d'hôtel une salle pratiquement vide – et finit par comprendre que le vulgaire touriste qu'il était n'accéderait pas aussi facilement à ces antres privilégiés.

Alors il joua le jeu, et réserva par téléphone. On lui donnait, en général, la plus petite table, la moins bien placée, près des cuisines, voire de la porte d'entrée, d'où, enchanté, il étudiait le comportement et les attitudes de ce peuple fier et mystérieux, contemplait les belles Vénitiennes, animées et vivaces, accompagnées de leurs maris, amants, frères, pères, fils, qui parlaient aussi fort qu'elles, ponctuant chaque phrase de grands rires joyeux.

Ce brouhaha jovial cessait dès qu'il pénétrait dans un de ces endroits. Chaque convive se taisait et il sentait sur lui une trentaine de regards courroucés. Le patron haussait les épaules avec impuissance face à l'attitude scandalisée de ses clients. Le monsieur avait réservé. Et on le conduisait à sa table dans un silence glacial. Au bout de quelques instants, on l'oubliait, et il pouvait déguster son *ombra*, ou petit verre de vin, tranquille.

Un soir, une grande victoire l'attendait. À force d'avoir fréquenté avec assiduité un bar à vin très prisé du côté de San Giovanni Crisostomo, de faire sa commande dans un italien hésitant mais courageux, de se fondre derrière sa petite table ingrate pour qu'on ne le voie pas, ou à peine, le patron, d'habitude si revêche, l'accueillit d'un sympathique : « Comme d'habitude, *signore ?* »

Ce soir-là, le *fegato alla veneziana* était touché par la grâce. Mais le bouquet final fut cette ravissante Vénitienne, fêtant ses vingt-cinq ans, qui s'était levée pour porter un toast à ses amis. Émue, elle les remerciait tous pour cette si belle fête, lorsqu'elle se tourna vers lui, et leva son verre :

— *E brindiamo anche al nostro discretissimo amico francese, e viva Parigi* !

Émerveillé, il vit la salle entière se mettre debout pour le saluer, les verres levés, reprenant en chœur bruyant et bon enfant les derniers mots de la jeune femme :

— *Viva Parigi ! Viva Parigi !*

Alors il se leva aussi, se courba maladroitement devant cette amitié inattendue et murmura d'une voix rendue faible par l'émotion :

— *Viva Venezia !*

Ce succès lui monta vite à la tête.

Il commençait à regarder avec ironie ces gondoles pleines à craquer de touristes rustres et il en oublia, gonflé de prétention à l'idée d'être devenu vénitien qu'il ne savait encore rien de Venise, de sa richesse, de son art et de ses mœurs.

On le rappela vite à l'ordre. Il subit en quelques heures le vol de son portefeuille par un pickpocket habile alors qu'il se promenait sur la Fondamenta Nuove et une rhino-pharyngite larmoyante infligée par la traître et spectaculaire montée des eaux, cette *acqua alta* tant redoutée par les Vénitiens, qui transforma la place Saint-Marc en lac rectangulaire où se reflétaient la basilique et ses coupoles dorées couronnées de lanternons en bulbe.

Pour traverser ce lac où batifolaient quelques mouettes effrontées, il fallait faire la queue pour monter sur des petits tréteaux périlleux et antiques, aidé plus ou moins par de désinvoltes policiers chaussés de bottes en plastique leur montant jusqu'à la taille. Las d'attendre son tour parmi des centaines de touristes effrayés ou gloussants, et se trouvant coincé entre

259

deux groupes, un japonais et un allemand, qui avaient chacun pour signe de ralliement un parapluie porté très haut par des guides fatigués, il plongea dans l'eau jusqu'à mi-mollets et traversa la place, sous l'œil ahuri des touristes, blasé des policiers et ravi des enfants.

Les pieds trempés jusqu'aux os, la moitié de son pantalon mouillé, il maudissait cette eau qui s'infiltrait sournoisement dans la ville. Les Vénitiens se résignaient ; les touristes, maussades ou fascinés, regardaient monter le niveau, se demandant si Venise n'allait pas couler, s'ils n'allaient pas assister, en direct, à la mort de la Sérénissime. Que devait-on faire à ce moment-là ? Se ruer sur les *vaporetti* pour observer les gracieuses volutes de la Salute s'enfoncer à jamais dans le Grand Canal ; mitrailler, tel un *paparazzo* fou, les derniers moments de la Ca'd'Oro ou de la Ca'Rezzonico, et revendre cette pellicule précieuse à prix d'or afin que le monde entier puisse vibrer en contemplant l'agonie de la Cité des Doges ?

Il retrouva son portefeuille vidé des quelques lires qui s'y trouvaient au commissariat de police, dont le sol était recouvert de dix bons centimètres d'eau. Fort heureusement, ses papiers n'avaient pas été touchés et il avait confié la quasi-totalité de sa maigre fortune au coffre-fort de la *pensione*, somme qui d'ailleurs fondait de jour en jour comme une motte de beurre au soleil. Venise lui revenait aussi cher que New York. Alors il ne mangeait presque pas, sautait le petit déjeuner et le repas de midi, se contentait de sandwiches et de café. Pour rien au monde il n'aurait voulu sacrifier ses soirées en compagnie des Vénitiens. Mais ces dîners-là, il fallait aussi les restreindre, choisir les plats les moins chers, rechigner sur les vins. Aussi, pour la première fois de sa vie, il perdit quelques kilos superflus, et se flatta d'avoir retrouvé une ligne de jeune homme.

Il comprit que Venise l'avait mis en garde, et que rien ne lui permettait de se considérer comme vénitien. Pour le punir davantage, elle lui infligea une matinée d'enfer, la plus humide, la plus désagréable qui soit ; où il se retrouva pataugeant dans des ruelles encombrées toujours inondées, reniflant, éternuant et toussant piteusement, se demandant s'il ne ferait pas mieux de rester cloîtré dans sa chambre à boire des grogs.

Venise tout entière était devenue eau, sentait la mer, le sel et la tempête ; le ciel ruisselait, crépitait de gouttes persistantes, les murs suintaient, les canaux débordaient de toute part.

Pathétique, il demandait humblement pardon à la Sérénissime d'avoir tenté d'usurper une origine qui ne lui était pas destinée. Une pluie diluvienne tomba sur la ville, créant une panique générale, et il tituba, trempé, transi pour enfin trouver refuge dans une petite église du Castello.

Tremblant de froid, il se sentit réconforté par la forte odeur d'encens et de bougeoirs, cet arôme du culte qui lui rappelait sa lointaine enfance et ce qu'il chuchotait au prêtre dans l'ombre du confessionnal, regardant ses péchés de vilain petit garçon s'envoler par la sacristie dès l'absolution, se sentant alors léger comme une plume, avec une âme éclatante de blancheur, propre comme un sou neuf, débarrassée de ses noirceurs terrestres, comme si elle était passée dans une machine à laver.

Il se rappela aussi son mariage religieux, quand il avait été ému par le visage rayonnant de sa femme aperçu sous la douceur mousseuse de son voile blanc, et ce moment où elle lui avait dit oui, rejetant doucement en arrière le voile pour le regarder timidement avec de grands yeux liquides.

Et le baptême de Camille, qui n'avait cessé de gigoter et de s'époumoner durant la cérémonie, cramoisie dans sa robe familiale trop serrée, pour finalement vomir son biberon dans les fonts baptismaux.

Et, dernière réminiscence qui le surprit tant la douleur était encore vive : les obsèques de sa mère.

Une sorte de grande fresque, à gauche de l'autel, retint son regard. Il s'approcha pour mieux la regarder, ses semelles trempées couinant à chaque pas.

C'était un large tableau, horriblement mal éclairé, certainement très ancien à en juger par les milliers de petites craquelures qui le sillonnaient, où l'on voyait un homme en armure noire juché sur un cheval déployé en pleine action, et qui du bout de sa lance tuait un monstrueux dragon cabré de douleur. Autour des sabots aériens du cheval, il étudia, médusé, des tronçons de corps humains, dont un torse de femme, des restes sanguinolents de membres déchiquetés, des crânes et des squelettes jonchés sur un sol aride et desséché, visions d'horreur dont il ne pouvait détacher son regard. L'homme monté sur le cheval le fascinait : son visage hardi et déterminé surprenait sous une chevelure blonde et bouclée d'archange ; il tenait son arme avec une machiavélique précision et une adresse concentrée qui laissaient deviner une puissance meurtrière. La résistance vaine du dragon, l'envol destructeur du chevalier et de sa monture formaient un mouvement en pointe, comme un V à l'envers, figé au moment le plus crucial de l'action, au moment même où la gueule du dragon allait éclater en mille morceaux.

Jamais il n'avait vu quelque chose d'aussi magnifique que ce tableau.

La morbidité et la violence sanglante de la scène se mariaient inexplicablement avec le ciel paisible, la sereine jeune femme en prière sur la droite, les édifices majestueux à gauche. Il était plongé dans une fable extraordinaire, un monde magique où l'affreux s'unissait par miracle avec le beau, où les couleurs chatoyantes se mélangeaient pour atteindre la perfection.

Il écouta la voix du tableau, une voix qui ouvrait une par une des milliers de paupières endormies dans son cerveau, débloquait des centaines d'artères vitales bouchées, encrassées par l'ignorance et la paresse ; une voix étonnante que non seulement il entendait, mais qu'il buvait par les yeux, le nez, la bouche, le cœur, le souffle.

Il resta là des heures, s'imbibant de chaque détail, comme s'il voulait mémoriser pour toujours ce qu'il voyait. Il avait la sensation inimaginable d'avoir entr'aperçu le sens de la vie, d'interpréter toutes sortes de choses intelligibles qu'il n'avait pas saisies, et de comprendre enfin la signification du mot « art ».

Il regarda les autres tableaux, tous visiblement de la même main étonnante, qui mêlaient avec une surprenante habileté le comique et le drame, le quotidien et le céleste, le banal et le sacré. Il s'amusa d'un petit chien frisé observant d'un air inquiet son maître perdu en pleine méditation, s'émerveilla de la multiplicité des personnages, chacun possédant un visage résolument différent des autres.

Il sentit une main sur son épaule et se retourna pour voir un vieillard, vêtu d'un costume bleu marine défraîchi et coiffé d'une casquette poussiéreuse, qui lui montrait sa montre du doigt.

Le vieil homme, dans un français rouillé, lui expliqua qu'il ne se trouvait pas dans une église, mais dans une *scuola*, et qu'il devait non seulement partir parce qu'on fermait, mais payer son billet d'entrée.

Fouillant dans ses poches, il se rendit compte qu'il n'avait plus une lire sur lui.

Le vieillard l'observa avec des yeux las mais malins.

— Ce n'est pas grave, *signore*. Vous viendrez me le payer une autre fois. Vous êtes resté très longtemps devant ces toiles. Presque deux heures. Vous ne m'avez même pas vu. Vous avez surtout regardé *Saint Georges combattant le dragon*. Ça, ça vous a plu, hein ? Moi je ne suis que le gardien. On ne me voit jamais. Voulez-vous une carte postale avant que je ferme ? Vous me la réglerez quand vous reviendrez pour le billet.

Et c'est ainsi qu'il apprit, en contemplant une petite carte postale qui sentait l'encens et le moisi, qu'il avait été ébloui par les œuvres d'un dénommé Vittore Carpaccio, 1465-1525, Vénitien d'origine.

Quand il sortit de la *scuola*, il faisait beau. Le soleil brillait avec force, la pluie n'était plus qu'un mauvais souvenir. Le sol encore mouillé avait toutes les couleurs de l'arc-en-ciel. Les gens se promenaient, l'air heureux et joyeux ; Venise avait retrouvé son sourire.

Il se sentit heureux lui aussi, le cœur léger et l'âme généreuse. Ses yeux s'étaient imprégnés de beau, et tout ce qu'il regardait l'était : ces enfants qui jouaient à la marelle sur le Molo ; ces fleurs parfumées s'épanouissant sur un balcon ; ces bateaux à voile partant faire une régate, spinnakers bariolés gonflés à bloc.

Le lendemain, il brava la foule pour aller voir les Carpaccio de l'Accademia, ceux-là mêmes que son œil ignare n'avait pas voulu découvrir lors de sa première visite. Il s'attarda longuement devant les neuf toiles immenses du cycle de la *Légende de sainte Ursule*.

Le *Songe d'Ursule* l'intéressa le plus. Sa couronne posée au bas du lit, à côté de son petit chien également endormi, la longue et mince Ursule faisait à peine un renflement sous sa couverture vermeille, une main sous le menton, ses cheveux tenus par un bandeau royal. Un ange ailé, un arc à la main, précédé d'une lumière sacrée, se tenait devant le lit à baldaquin aux colonnes démesurément hautes.

D'une toile à l'autre il retrouva l'association singulière qui caractérisait le maître : l'équilibre parfait entre l'horreur et le calme, la mort et la vie, le réel et l'irréel. Il avait faim de cette peinture, soif de cet art. Comment tout comprendre d'un coup d'œil, tout saisir d'un regard ? Il voulait se gaver de cette splendeur nouvelle. Comment oser s'avouer qu'il l'avait ignorée ? Il eut alors pleinement conscience, avec une impitoyable cruauté, du vide qu'avait été sa vie, de l'emprise stérilisante de sa mollesse intellectuelle, de son oisiveté cérébrale.

Il lui fallait maintenant rattraper le temps perdu, apprendre à connaître, aimer, respecter. À l'approche de la soixantaine il n'avait plus une minute à perdre.

En sortant de l'Accademia, exalté par ce qu'il avait découvert et ressenti, il bouscula quelqu'un de plein fouet tant son pas était devenu tonique.

Il se retourna pour s'excuser, et reconnut instantanément le personnage charmeur de son rêve : Beppe Ruspolini.

Décidément, Venise s'amusait bien.

— *Mi dispiace molto*, dit avec courtoisie Beppe Ruspolini, en s'inclinant comme si cet accrochage était de sa faute.

— Je crois que nous nous connaissons.

Il fallait jouer le tout pour le tout.

Le sieur Ruspolini se figea, le scruta poliment, tentant de mettre rapidement un nom sur ce visage inconnu.

— Ah ! fit-il, avec diplomatie.

— Il me semble que vous êtes un ami de Lady Hunter.

Le visage de Beppe s'éclaira.

— Pamela ? Mais bien sûr ! s'exclama-t-il, soulagé d'entendre un nom familier…

— Nous nous sommes rencontrés à Paris, avec elle, il y a assez longtemps, chez un ami antiquaire.

De nouveau le « Ah ! » prudent, mais toujours affable.

— Vous ne devez pas vous souvenir de moi… ce n'est pas grave.

— Mais si ! Mais si ! mentit énergiquement Beppe. Vous êtes un ami de Pamela, alors un ami à moi aussi, n'est-ce pas ?

— J'en suis flatté.

— Je ne me souviens plus de votre nom, cela fait si longtemps…

Il le lui dit.

— Mais oui, mais oui, tout cela me revient ! Vous êtes là pour la Biennale ? Comme Pamela ?

— Non, moi, je suis en vacances. Elle, elle travaille.

Beppe roula ses yeux de velours noir.

— Ah ! oui, qu'est-ce qu'elle travaille, la Pamela ! Elle n'arrête pas ! Vous logez où ?

Moment de panique.

— Au Danieli.

— *Bene, bene*.

Beppe esquissa quelques sauts de chat sémillants.

— Je dois me sauver. À bientôt, je l'espère. Saluez notre belle lady pour moi.

— Vous la voyez certainement plus souvent que moi.

— C'est vrai, nous avons un peu le même métier, mais elle est si occupée, n'est-ce pas ? Nous le savons.

Que signifiait ce regard complice lourd de significations cachées ? Il ne pouvait que hocher de la tête avec un sourire entendu.

D'un bond leste et félin, Beppe gravit les premières marches du pont de l'Accademia.

— Je vous laisse, je suis sur une affaire *importantissima* ! Je suis souvent au Harry's Bar, en ce moment, avec mes clients américains. Passez prendre un verre avec moi ! *Ciao, ciao*, je file !

Il le vit gambader sur le dos du pont, cravate au vent, mèches noires plaquées sur les tempes, suivi des effluves capiteux de son after-shave.

C'était bien le même homme que dans son rêve, porteur d'une pochette bleu cobalt, ce qui voulait dire, selon le code établi avec Pamina, qu'une déprime pointait le bout de son nez et que, pour se consoler, il ferait tout à l'heure la cour à quelque voluptueuse Vénitienne, la grisant de son sourire priapique et de sa savante technique amoureuse qui ferait pâlir d'envie le vicomte de Valmont lui-même.

Le lendemain matin, il se dévisagea longuement dans la petite glace biscornue de sa chambre et ne se trouva pas aussi vilain que d'habitude.

En somme, pour son âge, il n'était pas trop mal, ni vieux beau, ni vieux con, ni vieux tout court, d'ailleurs. L'approche de la soixantaine ne l'affolait plus autant.

Pamina aimerait-elle ce visage buriné par le temps, serait-elle conquise par ce corps à la peau relâchée, par ces épaules carrées qui avaient miraculeusement survécu aux ravages de l'âge ?

Aurait-elle envie de se plonger dans ce regard dont la coloration, bistre d'origine, avait viré avec les années pour avoisiner un gris pigeon pointillé d'or ?

Voudrait-elle caresser ces épis poivre et sel ? Succomberait-elle à ce sourire dont les dents, jadis blanches, auraient besoin d'un ravalement de façade ?

Qu'importe !

Demain il irait au Gritti.

13

À la *pensione*, je m'étais fait un ami, récemment arrivé ; un Allemand, prénommé Wolfgang ; nom aussi commun là-bas, me dit-il, que Jean ou Pierre chez nous. Il ne parlait pas l'italien, peu l'anglais et mal le français. Je n'avais aucune notion de sa langue natale, mais nous parvînmes à nous faire comprendre, lui de son anglais lourd aux consonances rugueuses, moi de mon franglais approximatif.

Wolfgang devait avoir mon âge, un fils de la même cuvée que Camille, et un divorce tout frais dont il se remettait mal. Sa femme l'avait aussi quitté, mais pour son meilleur ami, alors que la mienne avait claqué la porte parce qu'elle ne me supportait plus.

— Ça, c'est encore pire ! compatit Wolfgang.

Avait-il raison ? Aurais-je préféré la voir décamper avec Basile ?

— Mais elle n'a toujours pas trouvé mieux, m'empressai-je de dire à mon nouvel ami.

— C'est parce que tu l'as dégoûtée des hommes, fit-il en riant.

Je ris aussi, mais, finalement, ce n'était pas si drôle que cela. Wolfgang avait mis un doigt maladroit et balourd sur ma blessure secrète : le fait de n'avoir jamais su retenir une femme, la captiver assez pour qu'elle veuille passer sa vie à mes côtés. Alors, pour me venger de ce désintérêt, je m'étais jeté dans un libertinage imbécile, convaincu qu'en possédant le corps d'une femme, j'atteignais en même temps son cœur. Il n'y a pas plus bête qu'un homme qui croit connaître une femme parce qu'il a couché avec elle.

Wolfgang me montra un morceau du mur de Berlin qu'il gardait constamment au fond de sa poche : un petit fragment gris et rocailleux, devenu son porte-bonheur.

— J'ai vu tomber le mur, me dit-il, encore ému. Mon fils a été l'un des premiers à piocher dedans. Nous, on était du côté Est, alors, on pleurait encore plus que les autres.

Il ne savait rien de Venise, et en ex-Allemand de l'Est, libéré de ses restrictions géographiques, il voulait, en premier, visiter cette ville dont il avait toujours rêvé.

À mon grand étonnement, il ne l'aima pas beaucoup, la trouvant délabrée, sale et archaïque ; il ne s'intéressa qu'à la place Saint-Marc et au pont des Soupirs, deux endroits que j'avais appris à fuir. Le reste de la cité, le dédale de ses ruelles, ses trésors cachés ne l'intriguèrent point. Le Scala del Bovolo, « escalier de l'escargot », merveille dissimulée derrière le Palazzo Contarini, et sur lequel j'étais un jour tombé par hasard, le laissa même de glace.

Malgré ce manque de goût, que j'attribuais à un passé écrasé par une sévère rigueur politique, j'appréciais la compagnie de Wolfgang. Évidemment, je ne l'emmenais pas dans mes restaurants élitistes, sachant que l'intimité vénitienne n'avait pas les mêmes attraits pour lui. En flânant, nous parlâmes beaucoup, de nos enfants, de ces épouses qui nous avaient abandonnés ; j'évoquai New York, Londres, et finalement, un matin, Pamina.

J'éprouvai un besoin féroce d'en parler. Il m'écouta en hochant la tête, lâchant de temps en temps un « *Ja, ja* » compréhensif ; et pas une fois une lueur d'incrédulité ne s'alluma dans son regard.

Il manquait peut-être à Wolfgang la finesse et l'humour de Basile, mais je trouvai en lui un compagnon attentif et patient dont l'encouragement me touchait.

— Même si elle ne veut pas de toi, tu n'as rien à perdre, me dit-il, puisque tu as déjà presque tout perdu, ta femme et ton travail.

Wolfgang ne passa que deux jours à Venise. Je fus triste de le voir partir. Mais cette mélancolie s'estompa vite, car j'avais d'autres préoccupations, notamment une lettre de ma fille qui m'annonçait ses fiançailles avec Pierre.

Je ressentis un choc, le choc de tous les pères, je suppose, quand ils apprennent qu'un homme va emporter leur fille. Mais cela venait aussi du fait que je n'appréciais guère ce jeune homme, que je ne le pensais pas capable de rendre ma fille heureuse. Le serrement de cœur passé, une grande tristesse m'accapara. Les pères sont-ils toujours aussi difficiles avec les élus de leur fille ? Les mères ne sont-elles pas pires avec leurs fils ? C'est connu, aucune femme n'est assez bien pour un fils chéri. Mais moi, j'étais peut-être le plus mauvais de tous les parents : je ne voulais pas de ce Pierre pour Camille. Comment accueillir comme gendre un garçon aussi peu loquace, aussi peu charmant ? Comment accepter que Camille porte son nom et perde le mien, qu'elle ne soit plus mademoiselle Camille J., mais madame Pierre Machin ? Le comble, c'était qu'en divorçant, ma femme avait retrouvé son nom de jeune fille (précédé d'un madame pompeux), ce qui faisait qu'aucune des deux femmes intimement liées à ma vie, la mère de mon enfant, et ma propre fille ne porteraient mon nom. Je n'étais plus qu'un inutile patriarche au patronyme improductif !

Ce garçon saurait-il épanouir ma fille ? La mettrait-il en valeur, l'écouterait-il, lui ferait-il confiance ? Ou allait-elle se décomposer lentement au fil du mariage, comme sa mère, momie silencieuse et rancunière qui, dès le début, s'était mise en hibernation, affichait une affligeante passivité, fermant les yeux sur les écarts, les lâchetés, les faiblesses du mari volage ? Serait-il fidèle, ce Pierre ? Moi qui ne l'avais jamais été, je priais pour qu'il le fût. L'idée de Camille bafouée, trompée faisait naître en moi des envies de meurtre.

Quel courage, de la part d'un enfant de divorcés, de vouloir se lancer dans la périlleuse aventure du mariage ! Ne devions-nous pas, mon ex-femme et moi, la persuader, comme à tous ces jeunes naïfs qui désirent convoler, que ce n'était vraiment pas la peine ? Pas la peine, la belle robe blanche, la bague, le père décontenancé au bras de la promise rouge de confusion, les belles-mères en extase, les grand-mères reniflantes, les enfants d'honneur indisciplinés, les grains de riz, le lunch, et le marié qui, avant de dire ce « oui » fatidique, voit soudain apparaître devant lui une longue existence rangée où le train-train empiétera forcément un jour sur la passion. Mais il le prononce quand même (du bout des lèvres – réticence qu'on met sur le compte de l'émotion), parce que sa future le regarde d'un air angoissé, parce que le curé attend sa réponse, parce qu'il est trop tard pour dire non, et que, de toute façon, s'il veut partir un jour, il partira.

Et j'imagine déjà Camille, sanglotante, abandonnée, humiliée avec un bébé de six mois qui vagit sur son sein, m'appelant à deux heures du matin pour me dire que Pierre a fui avec sa secrétaire.

Mais peut-être, avec un peu de chance, ne l'épousera-t-elle jamais ? De nos jours, les fiançailles ne veulent plus dire grand-chose. Ce n'était plus comme au temps de ma jeunesse, où, fiancés, on était pratiquement déjà jeunes mariés, sauf que nous n'étions pas censés avoir fait l'amour. Ça, c'était réservé pour la nuit de noces…

Je garde un souvenir désagréable de mes propres fiançailles, où ma future femme passa le plus clair de cet après-midi mortel à montrer sa bague à tout le monde en cabrant son poignet comme si l'on devait lui faire en même temps un baisemain révérencieux. Chacun poussait des « Oh ! » et des « Ah ! » de ravissement devant ce minable saphir légué par ma grand-mère pingre. Seul un de ses oncles pince-sans-rire détailla le bijou et fit la moue en clamant haut et fort : « Pas terrible ! » Ma mère avait manqué de s'évanouir…

Je me souviens assez bien de cette éprouvante journée, de la ségrégation parfaite entre ma famille qui se tenait en rang serré à droite du buffet et, à gauche, cette pétrifiante assemblée d'aristocrates affectés que formait ma future belle-famille : un pot-pourri de sang bleu et de prétention, où le père de ma fiancée, heureusement mort depuis, m'inspirait le plus de crainte.

Immense et maigre, il avait ce teint jaunâtre, ces yeux vicieux et ce nez crochu pointillé de points noirs qu'ont tous les fins de race de son espèce, dont le sang a été dramatiquement appauvri par des unions consanguines entre cousins et cousines, tantes et neveux, nièces et oncles. Je crois qu'il a dû m'adresser dix paroles dans sa vie, pour la simple raison que j'étais roturier et que sa fille, qui portait, selon lui, un des plus beaux noms de France, faisait là une grave mésalliance.

Mon mépris de l'aristocratie est né ce jour-là, dans ce salon aux lustres massifs d'un hôtel particulier, rue de Grenelle, où je fis mille baisemains à mille vicomtesses hypocrites, qui me regardaient de travers parce que je n'avais pas de particule.

Il fallait bien que mon beau-père consentît à cette union dégradante. Sa fille avait plus de trente ans, et malgré sa dot généreuse, elle n'était pas très jolie. Effrayé de ne pouvoir la caser, d'autant que ses sœurs cadettes, Constance et Bérénice, s'étaient mariées depuis belle lurette, il avait capitulé assez vite devant l'empressement de son aînée, qui, elle non plus, ne voulait pas rester vieille fille.

Moi, je lui trouvais un certain charme, à cette jeune femme réservée qui disait m'aimer. Rencontrée lors d'une soirée chez des amis, j'avais d'abord remarqué ses jambes, et n'avais pu détacher mon regard de leur finesse longiligne. J'avais ensuite détaillé ses traits racés, son nez bourbonien, sa chevelure pâle, sa coiffure sage, ses mains blanches. Son côté démodé, conformiste et rigide contrastait délicieusement avec un corps surprenant qu'elle cachait sous de puritains tailleurs, de larges twin-sets. Elle avait un corps merveilleux, aux seins parfaitement ronds, aux hanches charnues, aux fesses pulpeuses. Même enceinte de

Camille, dans les derniers mois de sa grossesse, elle était belle.

Mais ce visage quelque peu sévère, cette bouche déjà austère, avec mes infidélités et mes mensonges s'étaient accentués de dureté, pour finalement laisser place à une implacable froideur. Je m'étais habitué à ce mépris glacial, sachant que j'y étais pour quelque chose, mais je ne m'attendais pas à ce qu'elle demande le divorce en cette veillée de Noël lugubre, alors que Camille, âgée de quatorze ans, ouvrait ses cadeaux en pleurant. Si c'était à refaire, peut-être ne l'aurais-je pas épousée. Mais je n'aurais pas eu Camille. Et qu'aurait donné une existence sans elle ?

— Lady Hunter ne sera pas rentrée avant la fin d'après-midi, vers dix-huit heures. Voulez-vous laisser un message pour elle ?

— Ce n'est pas la peine, merci, je repasserai ce soir.

Ainsi j'avais quelques heures de répit.

J'esquivai une dame élégante suivie d'une meute de caniches et d'une pyramide de valises en cuir et sortis de l'hôtel, soulagé mais un peu déçu.

Ce matin-là, je m'étais rasé de près et coiffé avec soin, convaincu que j'allais enfin être confronté à Pamina. Et voilà qu'elle se cachait encore dans Venise. Véronique Barbey n'avait-elle pas parlé d'un jeune peintre que Pamina voulait propulser vers la gloire ? Elle devait le couver, le materner pour

278

le faire accoucher de ses œuvres, le pouponner afin d'en faire une célébrité. Je pensai aussi à cette allusion bizarre de Beppe, à son regard étrange lorsqu'il avait dit que Pamina était « si occupée ».

Un doute horrible s'infiltra dans mon esprit. Il me fallait localiser Beppe. Il saurait certainement où se trouvait la « très occupée » Lady Hunter en cette agréable matinée.

Le Harry's Bar semblait n'être peuplé que d'Américains en transit, nostalgiques de leur pays. Les moins fortunés arboraient bermudas et tee-shirts avec leur décontraction habituelle, d'autres, plus riches, tentaient d'avoir une affectation européenne, et donc civilisée, mais on devinait aussi aisément leur origine. Rien ne trahissait plus un Américain que sa mâchoire carrée à la dentition éclatante.

Il n'y avait pas de Beppe en vue.

Je m'installai au bar pour l'attendre, non sans avoir commandé l'inévitable et méphistophélique Bellini qui dissimule son venin d'alcool sous une innocente saveur de pêche, élixir infernal qui monte vite à la tête et dont un seul verre ne parvient pas à vous contenter.

Au bout d'une demi-heure et de trois Bellini, Beppe fit enfin une apparition triomphante ; pochette rose, chevelure luisante, bondissant dans ses mocassins vernis, salué par-ci, par-là, accompagné d'un Américain corpulent et d'une très jolie femme fardée. Distribuant ses bonjours à droite et à gauche, il me vit enfin.

Il s'approcha de moi, tenant le bras de la belle personne maquillée.

— *Signore*, comment allez-vous ? Je vous présente une *amica*, Alessandra. Elle fait des affaires avec moi.

Alessandra me tendit une longue main molle et chaude.

— Bonjour, murmura-t-elle d'une voix rauque.

— Savez-vous où est Lady Hunter ce matin ? demandai-je à Beppe, cherchant à dégager ma main de l'étreinte tentaculaire de la jeune femme.

— *Cara*, lâche le monsieur, il n'a rien à nous vendre, c'est un ami de Pamela, lança Beppe rapidement.

Alessandra bâilla avec lassitude, laissa tomber mes phalanges et alla s'asseoir à côté de l'Américain qui allumait un énorme cigare.

— Vous cherchez Pamela ? fit Beppe, surpris.

— Oui, elle ne sera pas au Gritti avant ce soir. Je vais bientôt quitter Venise et j'aurais aimé lui dire au revoir.

— Mais c'est normal qu'elle ne soit pas au Gritti ! Elle n'y est jamais, elle s'en sert de bureau, ou de lieu de rendez-vous pour ses clients.

— Mais alors où est-elle ?

Stupéfaction de Beppe.

— Elle est avec Girolamo.

— Girolamo ?

— Mais oui, Girolamo Brizzi.

— Ah ! vous voulez dire le peintre dont elle s'occupe ?

— Oui. Vous le connaissez, non ?

— Non, hélas.

— C'est le petit-fils d'Alvise Brizzi.

— Je suis désolé, mais cela ne me dit rien.

Beppe rit, gentiment.

— Les Brizzi sont une des plus anciennes familles de Venise. Il y avait même un doge qui s'appelait Brizzi, au XIIIe siècle. Alvise Brizzi a été une personnalité importante de notre ville. Il est mort l'année dernière.

— Pamela se trouve chez eux ?

— Oui, vous la trouverez à San Polo. Girolamo a son atelier dans le palais familial.

Je le remerciai.

— Mais de rien, dit-il. Embrassez-la pour moi.

Me regardait-il d'une façon étrange, avec une pointe de suspicion, où était-ce mon imagination ?

Le Palazzo Brizzi devait se trouver dans une sorte de triangle des Bermudes dont je ne parvenais plus à sortir.

Où donc étais-je ? Quelque part derrière le Rialto, entre le marché et la Ruga Vecchia di Rialto, et je tournais sur place depuis une heure, excédé. Venise faisait exprès, j'en étais convaincu, de rendre pareille chaque *calle*, identique chaque pont, similaire chaque place.

Alors je m'assis lourdement, fatigué, sur un banc dans un *campo* inconnu, où il y avait une assez jolie église, comme il y en a cent à Venise, incapable de comprendre où je me situais.

Devant moi il y avait une petite école d'où sortit une multitude d'enfants joyeux, criant, piaillant, chantant comme de petits oiseaux libérés de leur cage, sans doute pour le déjeuner. Ils volèrent de part et d'autre du *campo*, les joues rouges, les genoux cagneux et les cheveux ébouriffés.

Je me souvins alors du premier jour d'école de Camille. Elle avait quatre ans. Ce fut un drame. Pleurant tout le long du trajet, elle se cabrait comme un petit animal sauvage, se traînant littéralement par terre pour nous empêcher d'avancer. J'avais le cœur fendu de voir ma propre fille dans un état pareil, mais mon ex-femme continuait à marcher, évitant mon regard, imperturbable sous son chignon doré, les lèvres pincées, tirant sur le bras de Camille de toutes ses forces. Des passants nous regardaient, fascinés par les capacités vocales d'une aussi petite fille. Une fois devant l'établissement tant redouté, les cris de Camille redoublèrent de volume, attirant les regards apeurés de ses futurs camarades de classe sages comme des images et ceux, plus ironiques, de leurs parents. Mon ex-femme ne broncha pas devant les hoquets désespérés de sa fille, alors que je n'avais qu'une envie, dire à Camille que nous rentrions à la maison et qu'elle irait à l'école quand elle serait grande. Une surveillante expérimentée embarqua notre paquet hurlant et gesticulant, et nous rentrâmes chez nous, silencieux et tendus. À quatre heures, lorsque nous vînmes la chercher, elle avait retrouvé son calme, les paupières à peine gonflées par les larmes.

— C'était très bien, dit-elle. J'ai montré mes nouvelles chaussures à tout le monde.

La directrice nous chuchota avec bienveillance :

— Votre fille a le syndrome de l'aîné. Cela lui passera.

Ainsi, nous apprîmes que le pauvre rejeton que nous avions tant couvé, protégé, chouchouté avait vécu ce premier jour d'école comme un véritable traumatisme. Quelle malchance d'être non seulement l'aîné, mais de surcroît le seul ; cet enfant unique, dans tous les sens du terme, qu'on va voir la nuit de peur qu'il ne respire plus, qu'on n'emmène pas au square parce qu'il risque d'attraper des microbes, qui n'a jamais appris à partager ses jouets avec d'autres enfants et qui, toujours, a eu sa maman pour lui seul !

Camille commença à réellement aimer l'école vers l'âge de sept ans, à cause de Miss Weathercock, son professeur d'anglais. Grâce à cette formidable dame à l'allure thatchérienne et à la discipline de fer, nous découvrîmes que notre fille possédait un talent confirmé pour l'apprentissage de l'anglais. Alors que tous ses camarades disaient « *ze* », « *zey* », « *zen* », son « *the* » à elle était triomphant de justesse. À huit ans elle était capable de débiter sans que sa langue ne fourche une fois l'épouvantable chiffre de « *three-thousand sixty-three-hundred and seventy-six* », ce qui pour moi était aussi extraordinaire, sinon plus, que de pouvoir réciter sans faute le périlleux dicton des « chaussettes sèches de l'archiduchesse ». Miss Weathercock nous fit comprendre, avec un peu moins de sa retenue britannique habituelle, que notre fille était une sorte de génie pour l'anglais. Nous nous regardâmes, sidérés. Le mot n'était-il pas trop fort ? hésita mon ex-femme. « Non, non, insista Miss Weathercock. Camille est un *genius*, mais il ne faudra jamais lui dire. » Suivant ses conseils, nous nous gardâmes bien de faire savoir à notre fille qu'elle était géniale, masquant notre folle fierté en lisant les annotations brillantes sur son carnet de notes. À treize ans, après quelques séjours en Angleterre, forte de l'enthousiasme de Miss Weathercock qui l'initia à Shakespeare et d'un parcours toujours aussi étonnant à l'école (elle suivait les cours d'anglais de terminale, alors qu'elle était en quatrième), nous dûmes constater, non sans un certain orgueil, que notre fille était parfaitement bilingue. « *Oh, marvellous*, disait-elle au téléphone à son professeur adoré, *oh, spiffing ! Can't wait ! Jolly good*. » Intrigué, dès qu'elle eut raccroché je lui demandai la signification du mot *spiffing*.

— C'est un moyen démodé et un peu familier de dire épatant, me répondit mon génie de fille. Miss Weathercock m'emmène ce week-end déjeuner chez son amie Lucy Peabody à Colombes, il n'y aura que des British, ça va être *spiffing* !

Le *campo* s'était vidé des enfants, à part deux ou trois garnements bruyants qui jouaient au ballon.

La porte d'une maison voisine s'ouvrit et une femme ronde vêtue d'un tablier apparut et tapa dans ses mains en apostrophant les enfants d'une voix perçante. Lâchant leur ballon, ils se précipitèrent en criant de joie. La *mama* récupéra sa marmaille affamée et la porte claqua.

Silence sur le *campo*.

Moi aussi, j'avais faim, mais je voulais surtout retrouver ce maudit palais.

Alors j'allai sonner chez la *mama* qui rouvrit la porte, l'air surpris, un torchon à la main. Derrière elle j'aperçus trois visages enfantins penchés sur d'énormes plats de pâtes, la bouche barbouillée de sauce tomate.

— *Prego ?* me dit-elle.

Elle avait dû être assez jolie, avant que ses traits fussent envahis par une graisse malsaine.

— Palazzo Brizzi ? fis-je, de mon italien économe.

En fait, il n'était pas loin, à vol d'oiseau ; il se trouvait juste derrière moi, mais il était compliqué à atteindre, m'expliqua-t-elle. Il fallait passer sous un *sottoportego* caché, tourner à droite après le pont, ensuite à gauche, puis à droite encore dans la Calle Tomasso.

Et là, je ne pouvais pas le manquer.

Je compris ce qu'elle voulait dire en contemplant l'imposant édifice du XVIIᵉ siècle qui dominait une petite place. La façade majestueuse était si haute qu'elle empêchait le soleil pourtant à son zénith de briller sur le *campiello* perpétuellement à l'ombre.

C'est donc là que se trouvait Pamina, cloîtrée dans cet écrin sublime, aux plafonds décorés de fastueux stucs. Et c'est là qu'habitait ce peintre qu'elle devait aimer ; cet artiste qui, visiblement, ne vivait pas dans le besoin, portait un des plus beaux noms de la ville et jouissait des attentions de la belle Lady Hunter.

Une fenêtre s'ouvrit et je sentis qu'on m'observait. Je crus apercevoir dans la pénombre du palais le visage patricien d'une vieille femme et l'éclair d'une chevelure blanche. Puis la fenêtre se referma avec un claquement sec. La famille Brizzi devait avoir l'habitude de voir des touristes plantés devant leur belle demeure. Ils aboutissaient sur la petite place par hasard et s'arc-boutaient pour tenter de saisir d'un regard l'imposante splendeur de ce palais caché. Cette bisaïeule à la toison de neige devait me prendre pour l'un d'eux. Elle ne se doutait pas que je venais épier les faits et gestes de la maîtresse de son petit-fils, ou arrière-petit-fils, ce Girolamo Brizzi, qui avait dû grandir dans ce palais ancestral, abritant sous son toit roux des dizaines de générations de cette puissante dynastie vénitienne.

Comment était-il, ce Girolamo ? Était-il beau ? jeune ? grand ? Riche, je le savais. Doué, peut-être. Pamina l'aimait-elle ? Était-elle vraiment sa maîtresse, ainsi que Beppe le suggérait ?

En contournant la masse énorme du palais, je constatai que le *campiello* n'était pas carré, et qu'un de ses axes longeait un mur de la maison Brizzi jusqu'à un haut rempart où l'on devinait, par-derrière, un jardin rempli d'arbres – luxe très rare à Venise. Ainsi, une aile du palais donnait sur cet enclos vert et secret, tranquille et parfumé.

Dissimulé par la hauteur du mur, je pus observer, sans être vu par la vieille dame qui m'épiait peut-être encore derrière ses rideaux, une grande partie de la façade sud du palais, celle qui donnait sur le jardin.

Les fenêtres du *piano nobile* étaient ouvertes, et je pouvais entrevoir, à l'intérieur, des fresques aux couleurs exquises, des meubles à l'opulence magnifique, des miroirs finement décorés, des portraits de famille anciens, et des lustres de Murano ; toute la splendeur intacte d'une époque disparue, extraordinairement préservée. Je m'attendais presque à voir apparaître un Brizzi vêtu d'une redingote et d'une chemise à jabot, une perruque poudrée sur la tête.

Irrésistiblement séduit par cette richesse du passé, par l'atmosphère magique de cette demeure, je ne fis pas tout de suite attention aux voix qui flottaient jusqu'à moi.

Soudain je me rendis compte que des gens parlaient dans le jardin. Je ne les comprenais pas, mais je captais assez bien les sons ; il s'agissait d'une femme et d'un homme.

Le jardin devait être grand et profond, et le vent contre moi, car parfois les paroles s'envolaient, faisant place au bruissement des branches au-dessus de ma tête. L'homme avait une belle voix joyeuse, puissante et enjouée ; la femme, une inflexion plus grave et plus sérieuse.

Longtemps je restai tapi derrière le mur à les écouter, attrapant un mot au vol, me demandant s'il s'agissait d'elle, ou de lui.

Puis je n'entendis plus rien.

Il faisait assez froid à l'ombre du *palazzo*, et ce qui m'avait tant plu maintenant m'oppressait. J'avais envie de soleil, de chaleur et d'animation.

Comme je songeais à m'en aller, une silhouette apparut à l'une des fenêtres ouvertes du *piano nobile*, encadrée par ces sculpturales embrasures comme un personnage dans un tableau, et j'eus le réflexe rapide de me cacher davantage, car de ces fenêtres, on pouvait certainement me découvrir.

Il s'agissait d'un homme d'une trentaine d'années, grand, fort, et très brun, de ce châtain foncé si distinctif des Italiens, et qui avait d'étonnants yeux bleus dont je percevais l'éclat surprenant de ma cachette même.

Il était beau, d'une beauté insolente et je sus instinctivement qu'il ne pouvait s'agir que de Girolamo Brizzi.

Il regardait vers le bas, du côté du jardin, en souriant. Sa chemise bleue était à moitié déboutonnée, et je devinais l'indécente puissance d'une poitrine sombre, lisse et musclée, d'un cou de taureau bronzé.

Alors la voix de femme, qui semblait maintenant plus langoureuse, monta du jardin, suivi d'un rire sensuel.

Girolamo Brizzi passa une main dans son épaisse tignasse et sourit de plus belle.

— *Vieni qua !* dit cette femme invisible que je brûlais de voir.

— *No*, fit Girolamo Brizzi en secouant lentement la tête.

— *Adesso !* commanda-t-elle, impérieuse.

Il reboutonna lentement sa chemise, la regardant toujours, puis il porta ses deux mains à sa bouche, les baisa et les ouvrit vers elle avec hommage et révérence.

— *Addio, amore*, murmura-t-il, *addio Pamela mia.*

Si j'avais eu, comme l'ange ailé d'Ursule, un arc et des flèches, j'aurais aimé transpercer d'un geste adroit cette pomme d'Adam détestable et voir le sang gicler sur la chemise bleue.

Ainsi, de l'autre côté du mur, c'était bien Pamina.

Son amant repartait peindre après l'amour, et elle se prélassait, alanguie, encore rose de baisers passionnés.

Beppe avait raison. Lady Hunter, quand elle se trouvait à Venise, était « si occupée ».

Un homme de trente ans ne sait pas ce qu'est la défaillance sexuelle, le doute, le manque de confiance en soi.

Un homme comme Girolamo Brizzi est un jeune lionceau qui triomphe de la vie. Il ne doit connaître que le parfum de la victoire, et non pas les bas-fonds de la défaite.

Il n'a aucune idée, parce qu'il est jeune, de ce que cela signifie : se voir vieillir, perdre son tonus et ses cheveux, bander mou ou plus du tout, et en souffrir.

Il ne se doute pas encore de la lassitude qui vient avec l'âge, de ce sentiment atroce que la vie vous a coulé trop vite entre les doigts.

À son âge, on évolue encore dans l'égoïsme suprême et blasphématoire de la jeunesse.

On n'imagine pas une seconde, pas un dixième de seconde, qu'un jour on aura cinquante, soixante, soixante-dix ans...

Profitez, cher Girolamo, de votre Pamela adorée. D'ici une vingtaine d'années, parviendrez-vous à la combler comme aujourd'hui ?

Vous ricanez en me regardant, et vous avez bien raison, monsieur Girolamo Brizzi, car je dois vous paraître ridicule à rôder comme un adolescent transi autour de Pamela.

Je dois vous avouer une chose.

Oui, je suis jaloux de vous.

Jaloux parce qu'elle doit vous aimer, et qu'en vous aimant, elle ne m'aimera sans doute jamais, puisque je suis l'opposé même de vous, le Mr. Hyde de votre Dr Jekyll, le Thanatos de votre Eros.

Ce soir à dix-huit heures, je serai au Gritti. Envers et contre tout.

14

Il ne savait plus quel jour on était. Seule importait l'heure. Comme Robinson Crusoé qui néglige une fois de barrer d'un trait la journée écoulée sur son calendrier, il avait dérivé sans repères fixes. À Paris, il l'avait toujours su avec une exactitude instinctive ; son agenda posé sur son bureau, sans cesse sous ses yeux, lui rappelait, pour peu qu'il ose l'oublier, la date, le jour, le saint, la saison et tous les rendez-vous de la journée.

Il était réellement incapable de nommer ce jour si important. Les secondes, les minutes, les heures qui passaient détenaient beaucoup plus de gravité. Il décelait l'heure d'après l'ombre d'un campanile sur une place, le petit « trou » agréable de midi et demi où Venise semblait s'arrêter pour déjeuner, et surtout d'après le tintement des cloches.

À force de leur prêter une attention si particulière, il avait remarqué qu'elles ne sonnaient jamais en même temps. Certaines avaient carrément une minute d'avance, d'autres trois de retard. Ainsi, toutes les heures, le même refrain sonnait dans la ville, une cloche laissant la place à une autre, chacune respectant minutieusement son ordre de passage.

On entendait d'abord un gros bourdon lointain qui semblait venir du nord, du Cannaregio, puis, trois secondes après, le tintement raffiné de la Salute, ensuite un carillon mélodieux provenant du Dorsoduro, pratiquement jumelé avec la basse métallique du Campanile. Suivaient quelques instants de silence. Du côté de la Guidecca, le refrain fut repris de plus belle, Zitelle et Redentore se mettaient à tonner furieusement et San Giorgio Maggiore s'égosillait. Les deux automates perchés sur la Tour de l'Horloge clôturaient alors la cérémonie : ces Mori imperturbables, qui sonnaient l'heure depuis six siècles avec un rituel solennel, ne manquaient jamais de divertir d'innombrables touristes.

Il décida d'arriver un peu à l'avance au Gritti pour la précéder. Il était seize heures trente quand il pénétra dans l'hôtel, obséquieusement salué par un groom trop empressé, pour qui le mot touriste était synonyme de celui de pourboire. Il se dirigea vers le bar, et plongea derrière les pages du *Gazzettino* qu'il avait acheté pour se donner une prestance. Il avait remarqué que tous les Vénitiens lisaient assidûment cet indispensable quotidien. Ainsi, il aurait peut-être moins l'air d'un étranger. Mais son manège, pourtant subtil, ne trompa pas l'œil expérimenté du barman qui lui demanda en français ce qu'il désirait boire. Sans se démonter, il lui répondit en italien qu'il voulait un café. Mais un simple café, au Gritti, c'était cher ! Alors il le but le plus lentement possible, grignotant les délicieuses petites pastilles de chocolat noir, offertes avec le café, qui fondaient trop vite dans sa bouche. Néanmoins le barman, redoutable d'efficacité, remarqua au bout d'une demi-heure que sa tasse était vide et les pastilles disparues, et lui demanda s'il désirait autre chose. Il fut bien obligé de commander un autre café. Et il n'était même pas cinq heures !

Il regarda alentour, impressionné par le luxe ostentatoire de l'endroit, les fauteuils Régence, le bar en marbre polychrome vert et saumon qui ressemblait plutôt à un autel, les appliques et les miroirs de Murano. On entendait une légère musique en bruit de fond, savamment distillée par de discrets et invisibles haut-parleurs. Son œil s'égara sur les jolies jambes d'une jeune femme brune qui prenait le thé à une table voisine. Son compagnon lui lança un œil méchant, il détourna vite son regard.

La tasse de café se vidait inexorablement.

Cinq heures et quart. Il avait mangé toutes ses pastilles.

Deux dames âgées firent leur entrée, s'assirent non loin de lui, chaleureusement saluées par le barman et les garçons. Amusé, il reconnut dame Pearl Honeycutt et sa cousine Phyllis, et leur sourit. Toutes deux, charmées, lui rendirent son sourire.

Le barman, captant cet échange, se montra plus modéré à son égard et ne vint pas le harceler parce que sa tasse était vide depuis un moment. Un vulgaire touriste ne pouvait être l'ami de dame Pearl Honeycutt. Ce monsieur français qui faisait semblant de lire le *Gazzettino* et l'effort de parler italien était certainement quelqu'un d'éminent, d'ailleurs il devait avoir un rendez-vous *importantissimo* car il scrutait sans cesse sa montre et la porte.

Dame Pearl et Phyllis se creusaient la cervelle pour tenter de mettre un nom sur ce visage au sourire si aimable.

— Je le connais ! Je sais que je le connais ! répétait dame Pearl en pressant ses index sur chaque côté de son front ridé.

Phyllis se concentrait, silencieuse, observant à la dérobée ce visage mystérieux.

— N'est-il pas un ami d'Horacio ? fit-elle de sa voix hésitante.

Dame Pearl leva les yeux au ciel.

— Phyllis, vous perdez la mémoire. Horacio est mort depuis dix ans, et tous ses amis avaient notre âge. Celui-là pourrait être mon fils, il est tout jeune. Il n'a pas soixante ans.

— Je ne le vois pas très bien, dit Phyllis pincée, je n'ai pas mes lunettes.

Dame Pearl dévora son *zabaglione* avec une gourmandise féroce.

— Je ne partirai pas d'ici sans avoir trouvé le nom de ce monsieur ! annonça-t-elle.

— Peut-être qu'il ne nous connaît pas du tout, hasarda Phyllis, et qu'il nous a saluées parce qu'il a vu que tout le monde nous connaissait.

— Ma pauvre amie, vous êtes vraiment insortable. Croyez-vous honnêtement qu'un joli freluquet de son âge s'intéresse à deux gâteuses comme nous ? Mettez vos lunettes, ma chère, et regardez-vous longuement dans la glace.

— Pearl, vous me faites de la peine, renifla Phyllis.

Dame Pearl l'ignora et termina son dessert, songeuse.

— Il est peut-être vexé parce que je ne l'invite pas à ma table… dit-elle *sotto voce*. Mais d'un autre côté, comme je ne sais plus qui il est, je ne peux pas le faire.

— Vous ne le pouvez pas, dit Phyllis en écho.

— Donc, je vais lui faire parvenir un verre de notre part. Comme cela, il pensera que je l'ai reconnu, mais que nous ne sommes pas assez intimes pour faire table commune. Qu'en pensez-vous, Phyllis ?

Avant que Phyllis puisse approuver, dame Pearl fit signe au barman, qui se précipita vers elle.

— Carlo, apportez donc un verre de champagne de ma part à mon ami là-bas, celui qui lit le journal.

À cinq heures quarante-cinq, alors que dame Pearl et Phyllis étaient parties, qu'il les avaient respectueusement saluées et remerciées – dame Pearl toujours aussi énervée de ne pas l'avoir identifié –, un homme s'installa au bar et bavarda avec Carlo, le barman. C'était un Anglais.

— Vous avez fait de bonnes affaires ? demanda Carlo.

— En ce moment, le marché est très mou. Les prix ne décollent pas. Ce n'est pas une bonne saison.

— Vous attendez Lady Hunter, j'imagine ?

Il se figea derrière le journal, l'oreille plus attentive.

— Oui, elle m'a dit qu'elle serait là vers dix-huit heures. Je repars demain pour Londres, il faut que nous fassions le point.

Qui pouvait donc être cet Anglais ? Un collègue de travail ? Un marchand de tableaux ? Un autre amant ? Un ami ? Il ne pouvait voir son visage, juste son dos rond aux épaules tombantes penché vers le bar, et une tête parsemée de rares cheveux roux.

Rien qui fût susceptible d'inquiéter Girolamo Brizzi.

Il posa son journal, subitement rêveur. Maintenant qu'il allait la voir, cette Pamina, il fallait penser à la séduire. Le moment crucial était venu. Mais comment séduisait-on une femme, déjà ? Iris Gapine l'avait violé. Avec elle, il s'était lové dans une passivité révoltante. Il était temps de retrouver un peu de son agressivité masculine. Pamina, après tout, n'avait que trente ans et certainement un solide appétit sexuel. Il fallait, comme disait prosaïquement Camille, assurer.

Peut-être aimait-elle faire l'amour à la hussarde, sur des coins de consoles, sur le rebord du lavabo, sur la table de la cuisine, ou à la Récamier sur une chaise longue ? Il pensa à ses hernies discales et frémit. Ou alors était-ce une vraie petite vicieuse, harnachée d'une guêpière en cuir noir avec bas résille, talons aiguilles et tout un attirail obscène de godemichés, vibromasseurs, fouets, lubrifiants, qui le ligoterait sur le lit pour lui infliger des tortures dignes du Divin Marquis ? Ne pouvait-elle être simplement une romantique éthérée, lui murmurant des mots d'amour passionnés, baisant fiévreusement ses mains et ses pieds ? Ce serait plus simple, et bien moins fatigant.

Mais avant tout ébat, avant tout enlacement, il fallait bien la séduire. Retour à la case départ. Appâter cette femelle-là n'était pas à la portée de tout le monde. Cela lui avait été pourtant facile, durant son mariage, alors qu'il ne disposait ni d'un physique avantageux ni d'une repartie brillante. Il séduisait parce que c'était devenu un jeu, parce que tromper sa femme l'amusait, parce qu'il avait cru comprendre que la fidélité, mot résonnant d'ennui, était réservé à ceux qui ne savaient pas profiter de la vie. Ne lui avait-on pas inculqué, par le biais d'une tradition universelle très répandue, que c'était non seulement honteusement démodé d'être fidèle à sa femme, mais de surcroît physiquement impossible, nocif et dangereux pour un mâle de limiter ses attentions charnelles à la même femme ? Alors oui, séduire lui était facile, puisqu'aucune femme ne lui était interdite. Il suffisait de lui sourire, de lui faire du charme, de la convaincre de sa féminité dévastatrice, de son sex-appeal ensorcelant, et le tour était joué. Les femmes qu'il avait conquises n'avaient pas eu envie de longs discours, de savantes exhortations. Il suffisait de les prendre, puisqu'elles ne demandaient que cela, et qu'il n'avait que cela à leur donner. Mais ces pratiques dépouillées suffiraient-elles aux exigences élevées de l'impatiente Lady Hunter ?

Il y a un moment fatal où l'on sait que la femme que l'on cherche à envoûter va capituler, qu'elle est sur le point de se livrer, et qu'il faut profiter de cet instant de faiblesse pour mener à bout son combat, sa chasse.

En général, c'est dans un escalier qu'on ressent cette conviction victorieuse, alors qu'on monte prendre le « dernier verre ». On comprend que ces mollets féminins qui se dandinent, sagement recouverts de bas, vont un quart d'heure, vingt minutes plus tard, se retrouver nus ; que ce corps, montant les marches avec une insouciance calculée, sera lui aussi totalement dévêtu, tout entier offert aux assauts triomphants du vainqueur.

Certaines se livrent plus vite que d'autres, ces dernières préférant, elles, se faire prier. D'autres encore, minaudent, disent non, prétextent un malaise, un mari jaloux, une indisposition malencontreuse pour finalement se ruer affamées sur une braguette qui n'y croyait plus.

Et faut-il se souvenir de celles qui ont dit oui, mais qui, tel un savon qui glisse adroitement hors de la main, se débinent savamment le moment venu ; celles qu'on n'a jamais eues et qui laissent un souvenir amer ? Pamina Churchward ferait-elle partie de cette catégorie-là ?

Une appréhension s'empara de lui, semblable à celle qui l'avait tenaillé dans le train pour Sunninghill. Pamina Churchward allait donc pénétrer dans cet endroit pour retrouver son acolyte anglais. Il allait enfin la voir de ses propres yeux. Mais comment l'approcher, et que lui dire ? Que peut-on exprimer à une femme de qui on sait tout, ou presque, et qui ignore tout de vous ?

Dix-huit heures passées, et Lady Hunter n'était toujours pas là.

L'Anglais patientait au bar, flegmatique.

À mesure que la soirée avançait, des personnes de plus en plus élégantes faisaient leur apparition.

Un couple français d'une cinquantaine d'années se disputait discrètement à une table proche. Elle, fort distinguée, ne regardait pas son compagnon, la tête tournée, le menton levé avec cette expression du plus pur mépris qui lui rappela celle de son ex-femme, les mauvais jours ; lui s'enlisait dans un discours en tentant vainement d'intercepter son regard.

Il ne put s'empêcher de tenter d'écouter quelques bribes de leur conversation. Mais l'homme parlait d'une voix sourde et trop basse, et la femme ne daignait pas prononcer une parole. Cependant on lisait dans ses yeux la douleur d'une femme brisée.

Il se souvint alors, avec un certain malaise, de ce Noël sinistre où Laetitia lui avait dit qu'elle voulait le quitter, qu'elle ne supportait plus sa lâcheté, sa mollesse, ses infidélités, sa médiocrité, et qu'elle déversa devant les oreilles innocentes de Camille le lourd fardeau de ses doléances. Camille, incrédule, continuait à déballer ses cadeaux, les mains tremblantes, les yeux remplis de larmes.

Il avait compris que c'était la fin, que la comédie était terminée, le rideau tombé. Jamais il n'aurait cru qu'elle savait et lui demanderait le divorce. Peut-être aurait-il dû implorer son pardon, s'excuser, trouver les mots qu'il fallait pour panser cette blessure ouverte, la plaie suintante qu'était devenu leur mariage ? Mais un orgueil immodéré s'était emparé de lui. Il l'avait laissée terminer son discours prolixe, se rabaisser à conter mille détails sordides de ses trahisons puériles.

Et pas une minute, il n'avait réfléchi à ce qu'elle voulait vraiment, pas une seconde il n'avait daigné déchiffrer le message crypté qu'elle lui tendait derrière ses larmes : qu'elle l'aimait, qu'elle était prête à lui pardonner, à tout effacer, à tout recommencer et qu'en parlant de divorce, elle voulait lui faire peur, lui faire comprendre qu'il fallait qu'il la regarde enfin, qu'il prenne conscience d'elle, qu'il fasse l'effort de connaître cette femme qui depuis presque vingt ans portait son nom, tout en restant une étrangère. Elle voulait le voir à genoux, l'entendre dire que la vie sans elle n'était pas une vie, que son existence se trouvait amalgamée à la sienne, pour toujours.

Mais elle avait prononcé le mot fatal, ce mot qu'il avait saisi au vol, le goûtant, le humant, le palpant, conscient de son danger, de sa nocivité et qu'il lui rejeta, fielleux, au visage : « Tu le veux ce divorce ? Eh bien, tu l'auras. »

Il était trop tard pour faire marche arrière. À partir de ce moment-là, c'était fini.

Mais ils se rendirent vite compte que divorcer après deux décennies de vie commune était une démarche difficilement réalisable, surtout quand on avait un enfant de l'âge de Camille. Le divorce après deux, trois ans de mariage, pas d'enfant ou un gamin en bas âge, semblait bien plus facile. La page se tourne plus vite, quand on est jeune. Les enfants s'élèvent tout seuls, et quand ils seront en âge de comprendre que leurs parents ont divorcé, ceux-ci se seront déjà remariés.

On perd vite les habitudes acquises avec un époux qu'on a quitté après trois ans.

Passé la cinquantaine, c'est une autre histoire.

Rue Quentin-Bauchart, il prétendait être ravi dans son nouvel appartement. En fait, il crevait de solitude. Les premières nuits furent les pires. Seul dans son lit froid, il rêvait de la chaleur d'une présence féminine.

Le comble de l'ironie fut qu'il se rendit compte au petit matin que Laetitia lui manquait, Laetitia et sa peau douce et chaude, ses épais cheveux cendrés épars sur l'oreiller, Laetitia qui parlait peu durant l'amour mais qui le serrait si fort dans ses bras, déposant une pluie de petits baisers doux sur son visage.

Sa femme lui manquait. C'était grotesque ! Il guettait son pas, son parfum, sa voix dans ce deux-pièces sans charme où il se sentait abandonné de tous.

Mais comment lui dire que ce divorce était idiot, que de toute façon, il n'avait plus envie d'aller voir d'autres femmes, que, finalement, il n'était bien qu'avec elle ?

Le croirait-elle ?

Au début, il avait trouvé Laetitia assez digne, plutôt crédible et loin d'être ridicule dans son numéro de femme bafouée. C'était après que les choses s'étaient gâtées, lors des séances pénibles avec les avocats, où, pour se venger, elle cherchait à l'humilier, connaissant ses moindres failles et ses pires défauts, commençant même à le vouvoyer.

Suivirent les interminables paperasses, les dernières signatures, le laborieux partage du mobilier, le casse-tête chinois des cadeaux de mariage offerts il y avait vingt ans, et la souffrance muette de Camille.

Le divorce avait traîné, n'en finissant plus. Leurs rapports s'étaient envenimés, ils se parlaient du bout des lèvres, sombrant parfois dans des disputes violentes et inutiles que seule Camille parvenait à calmer.

Puis il avait fallu endurer les amis qui se scindaient, par loyauté, crainte, ou amitié, en deux groupes distincts : ceux de Laetitia qui ne lui adressaient plus la parole, comme s'il avait commis un crime, et les siens qui lui disaient qu'il avait bien fait de divorcer, mais que c'était tout de même dur pour Camille, certains préférant alors la compagnie de sa femme pour ne plus chercher à le voir. Il eut peur pour Camille : elle voyait le mariage de ses parents se désintégrer et n'avait ni frère ni sœur avec qui se consoler.

Qui sait de quelles blessures profondes ce divorce tardif avait pu marquer ce jeune esprit fragile ? Quels souvenirs Camille garderait-elle de son enfance, de son adolescence où elle avait vu sans cesse son père avilir sa mère, et celle-ci se retrancher dans une réserve lointaine et glaciale ?

Laetitia aimait-elle Venise ? Y était-elle venue avant lui ? Il n'en savait rien. Il s'était obstiné à croire qu'elle aimait tout ce que lui n'aimait pas, afin de creuser davantage entre eux un fossé vertigineux et impossible à combler. Il ne pouvait nier son intelligence, sa culture, et son goût. Mais au lieu de partager son savoir, il la repoussait, s'en moquait ; lui prêtait un côté bas-bleu qui la vexait. Ce n'était pas par hasard si ses maîtresses étaient toutes du même moule : coquettes écervelées, incapables de défier la faiblesse de son érudition. Si d'aventure il s'entichait d'une femme savante, afin de rompre avec la monotonie stéréotypée de ses conquêtes, elle ne voulait pas de lui.

En fait, sa femme était une inconnue. Il avait passé vingt ans à ses côtés à lui faire l'amour en rêvant à d'autres femmes, vingt ans à la tromper, vingt ans à détester ce qu'elle aimait, à adorer ce qu'elle haïssait.

Qui était la mère de Camille ? Qui se cachait derrière cette apparence d'aristocrate pudibonde ? L'avait-il jamais su ? Le saurait-il jamais ?

À dix-huit heures trente-deux très précisément, Pamina Churchward fit son apparition.

Depuis un moment, il la sentait venir, et retenait son souffle.

Il leva les yeux à l'instant même où une haute silhouette, vêtue d'un tailleur parme entra dans la pièce, passa devant lui pour rejoindre l'Anglais. Une bouffée de parfum épicé à la cannelle, le même qu'il avait senti chez elle, caressa ses narines.

Il osa à peine la regarder.

Elle ressemblait peu aux photographies des magazines. Tout ce qui venait avec une décennie se voyait sur son visage.

Un enfant, la perte d'un mari, les saisons qui passent, les difficultés d'un métier, la trentaine, et l'après-midi passé à faire l'amour dans un palais vénitien, oui, cela se voyait aussi aux légers cernes mauves sous ses yeux verts.

Elle n'avait plus grand-chose de Pamina Churchward.

La femme qui se trouvait devant lui s'appelait bien Pamela Hunter.

Son corps s'était solidifié, non pas empâté, mais avait perdu sa grâce aérienne ; sa morphologie à la Giacometti semblait s'être tassée, elle rentrait le cou dans ses épaules ; quant à son visage, il ne possédait plus cette extraordinaire luminosité, ce rayonnement singulier qui l'avait tant charmé.

Lady Pamela Hunter était, en somme, une jolie femme de trente ans, au visage dur, à la bouche caustique et au regard perçant.

Seuls ses yeux n'avaient pas changé. Il revit exactement ceux de la vision et se souvint de ceux de son fils. Mais pour la première fois, il réalisa combien ce regard émeraude était insoutenable.

L'Anglais, subitement servile, lui montra des photographies. Il ne pouvait deviner de quoi il s'agissait, mais en voyant Pamela Hunter les regarder une à une, puis les jeter au fur et à mesure sur la table avec des gestes secs, précis et professionnels, il se dit que cela ne devait pas être des souvenirs de vacances, mais des clichés d'œuvres d'art.

— Ça, ça n'a aucun intérêt, fit-elle, cinglante, d'un anglais parfait métissé d'américain. Ça non plus, ça, il faudrait que je le voie, ça, c'est nul. Bon sang, Anthony, tu n'as rien de mieux, c'est effrayant !

Anthony, humble, se tortillait sur sa chaise.

— Pamela, en ce moment, c'est dur…

— *Bullshit !* Je sors de chez Rocco, qui avait des merveilles. Il paraît que tu lui as proposé un prix dérisoire pour le Dufy.

— Il n'était pas d'accord avec mon premier prix…

— Mais enfin, mon vieux, un peu de nerfs ! Ouvre tes yeux ! Apprends à te défendre ! Tu ne vas pas te faire marcher sur les pieds par ces Ritals ! On n'aura jamais rien, si ça continue comme ça !

Elle tourna la tête vers le bar avec impatience.

— Hé, Carlo ! Je vais l'attendre toute la nuit, mon whisky, ou quoi ?

Il se rappela alors les mots de Jessica Voss :

« Elle était divine, insupportable, brillante, douée, unique. »

Carlo s'affaira et le whisky atterrit prestement devant elle. Visiblement, on ne prenait jamais le risque de faire attendre Lady Hunter.

Elle but quelques gorgées et bâilla longuement.

— Anthony, j'ai eu une journée harassante, je pense que je vais me coucher tôt et ne pas aller avec toi à ce dîner qui m'ennuie. Tu diras à Francesca que je suis épuisée.

Anthony prit un air craintif.

— Elle va être furieuse, dit-il. Elle comptait tant sur toi.

— Eh bien ! tu vas lui faire oublier mon absence, n'est-ce pas ?

L'Anglais haussa les épaules, découragé.

Lady Hunter regarda sa montre.

— Il faut que j'appelle Adrian. Je ne lui ai pas parlé depuis trois jours. Demain, nous réglerons tout, notamment ce qui concerne le Dufy. Tu me laisseras faire, je rattraperai tes bêtises. Ce soir, je n'ai pas le courage de te faire la morale.

L'Anglais eut l'air soulagé.

— Ah ! j'oubliais, les Américains iront voir Girolamo demain. J'aimerais que tu sois là, vers onze heures.

— Pamela, je pars demain pour Londres.

— Zut, c'est vrai ! s'exclama-t-elle en fronçant les sourcils. Essaie de partir plus tard, c'est vraiment important.

Il hésitait.

Elle sourit alors, de ce sourire de séductrice qui avait fait sa gloire.

Quand elle le voulait, elle pouvait être encore très jolie, et l'étant, elle ressemblait à Pamina.

— Je vais voir, reprit l'Anglais, conquis. Je t'appelle demain matin.

Elle alluma une cigarette, puis but une gorgée de son whisky.

— À demain, Tony. Ne fais pas de folies de ton corps avec cette dévergondée de Francesca. Nous avons du travail !

Anthony rougit.

— J'ai passé l'âge.

— Tu parles !

Elle était maintenant seule à sa table, et il ne suffisait que de six ou sept pas pour qu'il la rejoigne et s'assoie devant elle. Elle fumait pensivement, les yeux à demi clos.

Pouvait-elle se douter qu'un banal étranger, à moitié caché par son journal, attendait cet instant depuis des mois ?

Elle était là, si réelle, à portée de main.

Le bar se remplissait, les voix et les rires fusaient, Carlo et ses garçons virevoltaient, et pourtant, entre la jolie lady songeuse et l'étranger immobile qui la dévisageait, une bulle de silence s'était élevée, les enveloppant ensemble dans son noyau opaque.

« Pourquoi ne va-t-il pas lui parler ? » se demandait Carlo, en s'affairant derrière son bar, les yeux rivés sur ce couple insolite. « C'est bien elle qu'il attendait. Il a changé de couleur quand elle est entrée. Et s'il est connu de dame Pearl Honeycutt, il doit l'être aussi de Lady Hunter ? »

Perdue dans ses pensées, elle buvait distraitement son whisky, laissant sa cigarette se consumer dans le cendrier.

Pensait-elle à son fils, esseulé dans la grande maison froide du Berkshire, à son amant vautré nu sur un lit à baldaquin dans son *palazzo* fastueux, ou à ce Dufy qu'elle convoitait avec l'avidité typique des gens de sa profession ?

N'y avait-il point un moyen surnaturel pour qu'il puisse s'infiltrer, s'insinuer derrière ce haut front bombé, pour qu'elle le voie dans ses pensées, se retourne et le regarde, pour que leur histoire débute ainsi, le plus simplement du monde ?

« Ils sont amants, et ils se sont disputés », se dit Carlo, de plus en plus mystifié. « Il la regarde pour supplier son pardon, mais elle fait mine de ne pas le voir. »

Lady Hunter leva alors ses étranges yeux verts pour contempler, tout à fait dans le vague, le visage de l'inconnu au *Gazzettino*.

Carlo s'arrêta de respirer.

L'étranger, figé, lui rendit son regard, sachant très bien qu'elle ne le voyait pas.

Il put ainsi détailler ce visage de face, noter les petites rides du coin de la bouche qui ne provenaient pas de cette trentaine encore fraîche mais plutôt d'une certaine amertume, d'un penchant pour l'irascibilité, d'une impatience difficile à réprimer.

Moins jolie, plus rêveuse, Pamina ressembla tout à coup à sa mère, et il revit Adrienne Duval à travers elle. Les deux visages qui l'avaient tant attiré et passionné, se mêlaient devant lui comme par magie.

Cela aurait été le moment parfait pour se lever et marcher vers elle, pour se présenter, baiser le bout de ses doigts et s'asseoir devant elle, sous l'œil ravi de Carlo qui se dirait que l'amour triomphait toujours.

Mais par où commencerait-il son histoire ? Par l'appartement témoin, Adrienne Duval, New York, pour enchaîner sur Londres, Adrian et Venise ?

Ne serait-il pas plus subtil de l'inviter à prendre un verre, de l'enchanter en parlant de ses sujets de prédilection, afin qu'elle se dise, dans son for intérieur : « Mais qui est cet homme inconnu qui semble tout savoir de moi ? »

En cet instant précis, alors qu'il allait se lever pour s'approcher d'elle, surgirent des images fragmentées.

D'abord, il vit Adrienne Duval devant le piano, ensuite Adrian chantant l'air du Chérubin, puis, en un enchevêtrement fou, le visage de Camille, Camille en blanc à son bras, rose sous son voile, les teintes surprenantes des tableaux de Carpaccio, les couleurs enchanteresses des canaux de Venise, les taches de rousseur de Jessica Voss, le *piano nobile* du Palazzo Brizzi, le *sky-line* de Manhattan, et les plages blondes de Martha's Vineyard. Puis il reconnut le sourire de Laetitia, ses yeux bleu clair comme un ciel de printemps ; il pensa à ce travail qu'il avait perdu, à celui qu'il lui faudrait rechercher, et il lui semblait qu'il entendait, près de la pompe qu'était son cœur, vibrant avec chacune de ses cellules, de ses globules, une musique mozartienne, un de ces concertos pour piano qu'il avait appris à aimer, peut-être l'*andante* du N° 23, dont les notes lui parurent soudain si émouvantes, si justes et si poignantes, qu'il eut l'impression de les avoir écrites lui-même.

Carlo faillit trébucher avec son plateau chargé de boissons. Ciel, le monsieur français de la table numéro quatre pleurait !

Ses yeux luisaient, remplis de larmes, dont quelques-unes coulaient doucement sur ses joues. Il avait posé son journal et, chose incroyable, regardant à nouveau Lady Hunter il souriait à travers ses larmes, comme un arc-en-ciel qui perce timidement la pluie.

Carlo se pencha vers lui, avec une déférente inquiétude.

— *Tutto va bene, signore ?*

— *Si, Carlo, tutto va bene, grazie. Il conto, per favore.*

Carlo lui présenta l'addition, encaissa l'argent, ému et curieux devant ce visage baigné de larmes, au sourire si doux et si calme.

Il attendit que Carlo se fût éloigné pour se lever, plia son journal, laissa un pourboire généreux sur la table.

Il passa devant Lady Hunter, qui terminait son whisky mais, avant qu'il quitte la pièce, Carlo, l'œil toujours à l'affût, surprit un dernier regard vers elle, un regard étonnant, complice, chargé d'émotion, où il ne décela pas la moindre particule d'amour ou de désir, juste une surprenante gratitude, et il lui sembla que les lèvres de l'étranger avaient frémi et qu'il y lisait un mot :

« Merci. »

Alors, plus intrigué encore, il regarda cet homme sortir du bar, pénétrer dans le hall et pousser d'une main la lourde porte vitrée de l'hôtel pour se fondre dans la Sérénissime.

Le Livre de Poche s'engage pour
l'environnement en réduisant
l'empreinte carbone de ses livres.
Celle de cet exemplaire est de :
300 g éq. CO$_2$
Rendez-vous sur
www.livredepoche-durable.fr

PAPIER À BASE DE
FIBRES CERTIFIÉES

Composition réalisée par PCA

———————

Achevé d'imprimer en septembre 2017, en France sur Presse Offset par
Maury Imprimeur – 45330 Malesherbes
N° d'imprimeur : 220937
Dépôt légal 1re publication : septembre 2017
Édition 02 – septembre 2017
LIBRAIRIE GÉNÉRALE FRANÇAISE – 21, rue du Montparnasse – 75298 Paris Cedex 06